Биографии великих
Неожиданный ракурс

Збигнев Войцеховский

Святые и порочные

В поисках скромности и смиренности

ЭКСМО

МОСКВА

УДК 82-94
ББК 84(2Рос-Рус)6-4
  В 61

Войцеховский З.

В 61   Святые и порочные / Збигнев Войцеховский. — М. : Эксмо, 2013. — 352 с. — (Биографии
великих. Неожиданный ракурс).

ISBN 978-5-699-62610-6

Эта книга не ставит перед собой цель кого-либо опорочить.
Она посвящена, безусловно, ярким и неординарным личностям,
которые не только оставили заметный след в российской истории, но и были возведены Русской православной церковью в лик
святых. Кого канонизировать, а кого нет – это сугубо личное дело
церкви, и потому автор в своих исследованиях не стал затрагивать
церковные методики и принципы определения духовных заслуг
того или иного персонажа. Он опирается исключительно на фак-
ты, доказанные и подтвержденные самыми авторитетными историками с мировым именем. И многие персонажи православного
Пантеона представляются нам сильными, героическими, вели-
чайшими борцами и реформаторами, с одной стороны, и живыми
людьми, которым не чуждо ничто человеческое, – с другой. Такой
ракурс позволяет максимально приблизиться к истине и получить
исчерпывающий ответ на вопрос: а кем они были на самом деле,
святые?

УДК 82-94
ББК 84(2Рос-Рус)6-4

ISBN 978-5-699-62610-6

Предисловие

За свою более чем тысячелетнюю историю Русская православная церковь возвела немалых размеров пантеон святых и праведников. Посмертная их судьба, как и прижизненная, сложилась весьма разнообразно. Имена некоторых известны большинству верующих лишь по церковным календарям. Но есть и те, чьи имена на слуху не только у историков церкви, но и хорошо известны даже тем, кто далек от веры.

Однако объединяют их не только деяния, совершенные во имя православия. Общее у них и то, что канонические жизнеописания святых, так называемые жития, зачастую единственные источники сведений о них, довольно редко содержат реальные подробности их жизни. Особенно в части привязки к хронологии и географии. Более того, даже имеющиеся в них детали иногда противоречат известным нам историческим реалиям той эпохи, в которую жил тот или иной святой. Разнятся даты и события, названия городов и селений, имена друзей и врагов...

Увы, даже такие исследователи, как Е.Е. Голубинский, В.О. Ключевский, Н.И. Костомаров, которых трудно заподозрить в неприятии или отсутствии уважения к православию, не раз вынуждены были отмечать, что жития святых в большинстве своем никак не могут претендовать на роль исторических документов. Причем даже те немногие, что написаны современниками. Что уж говорить о творениях, созданных столетиями позднее. Или даже о последующих «копиях» исходных житий — переписчики не особенно стремились к дословному воспроизведению оригинальных текстов, «улучшая» их по своему разумению — или по чьему-то мудрому совету. И в этих позднейших «наслоениях» нередко терялись крупицы подлинных сведений. Тот же Ключевский в своей книге «Древнерусские жития святых как исторический источник», изданной в 1871 году и поныне остающейся непревзойденным образцом исследовательской работы, приводит десятки подобных примеров. Вот что он писал о жизнеописании святителя Леонтия, епископа Ростовского — это житие, по его мнению, отличалось «неопределенностью, показывающей, что оно черпало единственно из смутного предания, не основываясь на письменном источнике, на летописи или на чем-нибудь подобном». Житие же Космы Яхромского было «похоже на витиеватое похвальное слово, в котором сквозь риторику... проглядывает лишь скудное и смутное предание» и где «среди словообильных и напыщенных назиданий и размышлений, путающих ход рассказа, с трудом можно уловить две-три ясные биографические черты».

Но, быть может, случались лишь тексты, состоящие из общих фраз? Увы, риторикой авторы житий не ограничивались. Возьмем, к примеру, изданный в 1892 году в Петербурге 12-томный труд архиепископа Филарета «Жития святых, чтимых православной церковью». Каждый из томов этого монументального издания включал жизнеописания святых по месяцам. И вот в томе «Май», в «Житии блаженного Исидора, Христа ради юродивого, ростовского чудотворца» В.О. Ключевский отметил следующие строки:

«Купцы плыли по морю и во время страшной бури решили умилостивить небо, как спутники Ионы: положили жребием узнать самого тяжкого преступника и бросить его в море. Так брошен был ростовский купец, и он уже близок был к тому, чтобы быть поглощенным в море, как является блаженный Исидор и переносит его на корабль». Обычному читателю это ничего не напоминает, хотя с исходным сюжетом многие знакомы — Ключевский в своей книге прямо пишет, что «...рассказ о спасении ростовского купца Исидором на море основан на легендарных мотивах, плохо прикрытых книжной редакцией и одинаковых с известной новгородской былиной, приуроченной к лицу новгородца XII в. Садко Сытинича». Итак, это деяние святого позаимствовано у легендарного Садко. А что же иные чудеса, упомянутые в житии Исидора?

«Дворецкий князя Владимира, готовивший богатый обед для князя и гостей, с бранью отказал Исидору, когда тот просил утолить жажду и голод его. Во время обеда князь приказал подносить питье гостям; но к изумлению и ужасу, питья не оказалось в сосудах». Увы, и к этому эпизоду Ключевский нашел первоисточник: «чудо исчезновения напитков на пиру у ростовского князя есть вариант легенды о более раннем юродивом Николе Кочанове новгородском».

Следом за Исидором в том же томе упомянут муромский князь Константин, тоже чудотворец, о котором в его житии говорилось, что «Константин решился на все ради святой веры. Это было, по всей вероятности... в 1077 году». Увы, по поводу повести о муромском чудотворце другой историк церкви Е.Е. Голубинский в своей изданной в 1880 году книге «История русской церкви» выразился весьма жестко: «редакции ее не согласны в показаниях о времени событий, из которых ни одно, впрочем, не заслуживает веры... Весь этот рассказ есть не что иное, как вымысел...»

Не менее суровый вывод был сделан Голубинским в его «Истории канонизации святых в русской церкви», увидевшей свет в 1903 году, жизнеописанию благоверных князей Василия и Константина Всеволодовичей Ярославских, которое было помещено Филаретом в том «Июль»: «Сказание о князьях, написанное в первой половине XVI века ярославским монахом Пахомием, замечательно тем, что представляет собой чистое и, можно сказать, образцовое баснословие; в этом именно сказании читается классическая, так сказать, и какая-то совсем невероятная чепуха...»

А житие Ферапонта Монзенского, несмотря на обилие подробностей, так и не дает внятного ответа на вопрос, когда преставился этот святой. Дадим снова слово В.О. Ключевскому: «...биограф приводит известие, что Ферапонт преставился в 1585 году, прожив в Монзенском монастыре 2,5 года. Но по счету самого автора голод 1601 года был 13 лет спустя по смерти Ферапонта». Этим Ключевский хотел сказать, что если от 1601 года отнять 13 лет, то получается, что Ферапонт скончался в 1588 году. Что ж, три года в плюс или в минус, куда ни шло. Но... «По ходу рассказа в житии, Ферапонт был еще жив во время ссоры монзенской братии с игуменом Павлова Обнорского монастыря Иоилем, который занимал это место в 1597–1605 гг.». Из этого следует, что преподобный был жив и в 1585, и в 1588, и как минимум в 1597 году. Не мог же он, преставившись, ссориться с живым игуменом соседнего монастыря. При этом «...биограф говорит, что кончил житие чрез 39 лет после смерти Ферапонта. Но оно написано много лет спустя по приходе автора в обитель, когда он стал уже строителем монастыря и иеромонахом; а он сам говорит, что пришел в монастырь в 1626 г. По-видимому, Ферапонт умер в 1598–1599 гг.»

Точку в блужданиях биографа решительно поставил архиепископ Филарет, написавший в конце жития Ферапонта Монзенского, что тот «...отошел к Господу... декабря 12-го 1591 г.». К сожалению, выяснить, какими источниками руководствовался Филарет и как быть тогда с игуменом Иоилем, не предоставляется возможным.

В томе «Июнь» присутствует житие владимирского князя Глеба, который, согласно житию, преставился в 1175 году в двадцатилетнем возрасте. Жизнеописание этого благоверного, составленное пять столетий спустя после его кончины, сообщает, что юный князь, «чистый и непорочный», был сыном Андрея Боголюбского — личности весьма известной, к которой мы еще вернемся. Странное дело — в летописях того времени упоминаются три сына этого князя — Изяслав, Мстислав и Юрий (Георгий), жена Улита и дочь Ростислава, а о Глебе нет ни слова.

Е.Е. Голубинский, пытаясь исправить положение, в своей «Истории канонизации святых в русской церкви» предположил, что речь идет об одном из известных сыновей Андрея Боголюбского — Юрии, принявшем имя Глеб в иночестве. В своем предположении относительно Юрия ученый отталкивался от того, что «... после 1175 года летописи совершенно молчат о нем». Однако Юрию, во-первых, в 1175 году еще не было двадцати (он родился в начале 1160-х), а во-вторых, к тому моменту он уже княжил в Новгороде. Откуда, впрочем, был в тот год изгнан — едва умер его могущественный отец, новгородцы предпочли другого князя. О следующем десятилетии жизни Юрия ничего не известно, кроме того, что, оказавшись поначалу в родном Владимире, он был изгнан своим дядей Всеволодом и оказался в половецких степях. Но Юрий точно не умер среди кочевников — в 1185 году там княжича нашли посланцы грузинских князей, избравшие его на роль жениха для царицы Тамар, впоследствии весьма знаменитой. Дальнейшая часть его биографии известна исключительно по грузинским и армянским источникам — в русских летописях она не отражена совершенно. Менее чем через три года царица Тамар, выражаясь современным языком, подала на развод — шаг по тем временам для христианского мира беспрецедентный. Однако и поводов царь Георгий (как его именовали в Грузии) успел дать для этого предостаточно — беспробудное пьянство, мужеложство, зоофилия, пытки неугодных... Высланный в Константинополь, он попытался вскоре вернуться на трон, играя на разногласиях между грузинскими кланами, но потерпел поражение. Не желая сдаваться, Георгий призвал на помощь половцев (и даже женился на их княжне, когда Тамар снова вышла замуж), но на этот раз был разбит окончательно и бесследно исчез. Во всяком случае, после 1194 года о нем ничего не известно. Впрочем, для нас важнее то, что быть святым Глебом Владимирским этот князь никак не мог. Но о ком тогда идет речь в житии?

Впрочем, есть примеры и иного рода — когда праведность и чудесные деяния приписывались все же реальному человеку. Житие Афанасия Цареградского изображает этого святителя «мудрым в слове... борцом и страдальцем за веру православную». Весной 1653 года Афанасий прибыл в Москву, где принял активное участие в церковной реформе патриарха Никона. В конце того же года выехал в город Галац (ныне в Румынии), однако в феврале 1654 года занемог в пути, остановился в монастыре около города Лубны, где и преставился в апреле того же года.

Такова вкратце биография этого святителя, довольно достоверная, к слову. Добавим к ней всего несколько штрихов. Афанасий трижды занимал патриарший престол в Константинополе — в 1634,-м 1635-м и 1652 годах, вот только каждый раз патриаршество длилось всего несколько дней — в последнем случае целых 15. Впрочем, тогда патриархи в Константинополе не засиживались. В те времена кандидат на патриарший престол должен был устраивать и султана, и ряд европейских стран — католических и протестантских, чьи посольства «спонсировали» султана. Свое первое патриаршество Афанасий купил по большей части за деньги французского посольства. Но его соперник сумел отвоевать престол через две недели — поддерживавшие его голландцы заплатили больше. Протестанты оказались щедрее католиков. Официальные историографы церкви не любят говорить о том, что Афанасий «написал просьбу папе об утверждении за собою по прибытии в Рим титула константинопольского патриарха...». Я цитирую «Исторический список епископов, а потом патриархов Константинольских» Константина Икономоса, известного греческого богослова и борца за независимость Греции, жившего в конце XVIII — первой половине XIX веков и отличавшегося большой симпатией к России. Икономос прямо писал, что Афанасий «оказался на деле тщеславным человеком, из честолюбия готовым попирать божественные каноны Церкви...». Достоверно известно, что, потеряв во второй раз патриарший престол, Афанасий лично приехал в Италию и прожил там какое-то время, надеясь стать католическим кардиналом. Но был признан «несостоятельным».

Что же стало причиной причисления Афанасия к лику святых? Как ни странно, совсем не то, что написанный им «Чин архиерейского совершения литургии на Востоке» лежит в основе «Чиновника архиерейского служения», используемого в Русской православной церкви и поныне. Греческие монахи — свита странствующего патриарха Константинопольского, как он продолжал именоваться, хотя и был смещен — похоронили владыку по обряду своей церкви, то есть в сидячем положении. Именно это обстоятельство так поразило воображение местных иноков и паломников, что послужило основной и решающей причиной почитания Афанасия как святого и чудотворца. Известно, что официальное почитание патриарха началось в конце XIX века, хотя утверждается, что канонизирован он был чуть ли не сразу после смерти — в 1670-е годы. Однако известно также о существовании ходатайства полтавского архиепископа Мефодия о канонизации Афанасия, отклоненного Священным Синодом в 1818 году. Так кто и когда причислил его к лику святых?

К Афанасию Цареградскому мы еще вернемся, а пока же нужно сказать, что таких примеров в каждом томе труда Филарета, как и во многих аналогичных изданиях, превеликое множество.

Однако же Церковь представляет верующим жития отнюдь не как творения человеческие, со всеми пристрастиями и заблуждениями авторов, а как божественные откровения, в которых каждое слово — непреложная истина.

И вот, восхищаясь, с одной стороны, работами Ключевского, Голубинского, Костомарова, Татищева и других исследователей, Церковь тем не менее на деле «клала под сукно» результаты их исканий в области житий русских святых. И до сих пор повторяет все ошибки, противоречия и нелепости, отмеченные историками, никак не пытаясь избавиться от немалого числа недостоверных личностей, затесавшихся в ряды ее лучших представителей, и многих сознательных фальсификаций, случайных наслоений и просто сомнительной информации прежних лет.

Однако посмотрим на это с другой стороны. Церковь все же не отрицает ценности этих исследований. Книги Ключевского и Голубинского издавались, пусть и малыми тиражами. Тексты их можно найти в Интернете, причем прежде всего на православных сайтах, то есть ознакомиться с ними может любой желающий.

Однако верующие продолжают поминать как святых людей, порой не совершивших ничего, достойного поминовения, а то и вовсе никогда не существовавших. Почему? Странно будет думать, что никто прежде не задавался этим вопросом. Задолго до нас об этом говорили и писали многие люди.

Повторюсь — работы вышеназванных историков церкви находятся в свободном доступе, более того, авторы их никем не развенчаны и не преданы анафеме. Наоборот — в их адрес иерархами церкви сказано немало лестных слов.

И что же, прихожане предпочитают заблуждаться? Слепо верить? Но вера, подкрепленная знанием, может быть гораздо сильнее. Кто сказал, что знание правды о том или ином «святом» способно разрушить в человеке веру в Бога? Если так, значит, вера слаба. Или верит человек во что-то иное. Или только прикрывается верой.

Ведь есть во всем этом и другие стороны. Жизнь Церкви — это не только молитвы и службы. Это и повседневная хозяйственная деятельность — поддержание действующих храмов в надлежащем состоянии, проектирование и строительство новых церквей. Служителей церкви нужно кормить и одевать, церковная утварь и литература тоже стоят денег. Как и многое другое. Но где граница между религиозным туризмом и торговлей сопутствующими предметами культа как средством материального обеспечения деятельности Церкви, совмещенным с удовлетворением потребностей верующих, и получением денег этими и подобными способами как самоцелью?

Или кто-то поклоняется просто внешнему благолепию, не вникая в суть того, что за ним стоит? Как те бабушки, что готовы наброситься с кулаками в храме на человека, «не так» поставившего свечку?

И все же — кому отведены красные строки православного календаря? Все ли они были святы в своих делах и поступках? Так ли белоснежны их одеяния? Посмотрим на них повнимательнее.

Вернемся к самому началу православия на Руси.

Владимир, великий князь Киевский, креститель Руси

Великий князь Владимир Святославич занимает особое место как в истории Руси, так и в истории Русской православной церкви. Внук Ольги, которая первой среди русских князей приняла христианство и стала первой христианской святой на Руси. Сын князя Святослава, выдающегося полководца. В отличие от отца, последовавший примеру Ольги и обратившийся к новой вере. Но, в отличие от Ольги, Владимир не только крестился сам, но и повернул к христианству своих подданных. Чем определил судьбу своей родины и православия на многие столетия вперед. За что был прозван Владимиром Святым, равно как и Владимиром Крестителем, и впоследствии отнесен православной церковью к числу равноапостольных, то есть святых, особо прославившихся проповедованием Евангелия и обращением народов в христианскую веру, коих в православии насчитывается 12, и в числе трех из них, наряду с Кириллом и Мефодием, при богослужении особо поминается в литургии.

О начальном периоде жизни князя Владимира летописи говорят немного, нет в них и точной даты его рождения. Известно, что в 969 году умерла его бабка, княгиня Ольга. А отец его, князь Святослав, готовясь к походу на Царьград, коему суждено было стать для него последним, отправил в том же году Владимира княжить в Новгород, в то время как брату его Олегу досталась Древлянская земля. Киев же князь отдал в управление своему старшему сыну Ярополку.

Поначалу Владимир вслед за отцом держался языческих обычаев. Через несколько лет после смерти Святослава Олег поднял мятеж против Ярополка, который хоть сам и не крестился, но христианам благоволил. Однако Олег погиб, а Владимир, получив известие о его смерти, бежал к варягам. В 978 году Владимир набрал войско из варягов, изгнал из Новгорода наместника Ярополка и двинул свою дружину сначала на Полоцк, а потом и на Киев. Ярополк был убит, и Владимир сел на отцовский престол. И поначалу правил согласно языческим обычаям.

Выросший в основном под присмотром княгини Ольги, фактически правившей Русью, когда отец проводил время в военных походах, Владимир вслед за ней ощутил неполноту языческой религии и стал задумываться о другой, истинной вере. Когда Владимир объявил о своем желании переменить веру, то явились к нему в Киев многие проповедники: иудейские, мусульманские, а также христианские — немецкие и греческие (хотя о расколе еще никто и не помышлял, отличия между ними уже возникли, причем существенные), и каждый восхвалял свою веру.

Более других понравилась Владимиру вера греческая. Его особенно впечатлил греческий проповедник, показавший ему картину Страшного суда. «Хорошо праведникам по правую сторону, горе же грешникам по левую!» — сказал со вздохом Владимир. «Крестись, и ты будешь в раю с первыми», — отвечал ему проповедник.

Германских христиан Владимир выслушал, но отвечал им: «Идете опять, яко отцы наши сего не прияли суть» (то есть «ступайте назад, ибо наши отцы этого не приняли»). В словах его было эхо провалившейся с треском миссии епископа и священников, присланных в Киев еще при отце его Святославе германским императором по просьбе княгини Ольги. Поколебать упорство Святослава в язычестве немцы не сумели — получилось у них лишь вызвать гнев князя.

Мусульманские обычаи также не вызвали у Владимира желания приобщиться к ним. Иудейская же вера не приглянулась князю еще и потому, что не была нигде государственной религией и ни один равный ему властитель не исповедовал ее.

Выслушав всех проповедников, князь все же не пришел к окончательному решению. Бояре присоветовали Владимиру еще испытать каждую веру там, где сильна она. Посланцы князя побывали при богослужениях у иудеев, мусульман, немцев и, наконец, у греков. Сам патриарх Константинопольский совершал литургию в их присутствии; великолепие храма, богатые облачения многочисленного духовенства и стройное пение хора привели послов в восторг. «Узнав веру греческую, мы не хотим иной», — сказали они князю. Тогда Владимир окончательно утвердился в своем выборе.

Склонный к пышности и торжественности, гордый князь пожелал принять новую веру от самих царей византийских и патриархов греческих. Кроме того, ему хотелось породниться с императором, взяв в жены его сестру, царевну Анну. Это даже стало условием оказания военной помощи императору в подавлении восстания в принадлежавших Византии землях. Однако император не спешил выполнять взятые на себя обязательства. И Владимир решил добиться своего силой. Он овладел принадлежавшим в то время грекам городом Корсунь (по-гречески Херсонес; руины его находятся на территории современного Севастополя) и снова послал просить руки Анны. Ответом ему было, что царевна как христианка не может быть женой язычника. Владимир сказал, что ему понравилась греческая вера и он желает креститься.

Возможность просвещения Русского государства и земель его, шанс сделать Русь навсегда союзником Византийской империи перевесили нежелание базилевса нарушать традицию не заключать династические браки с варварами, пусть даже и христианами. Собирая Анну в дорогу, ее братья — император Василий II и его соправитель Константин утешали сестру, подчеркивая значительность предстоящего ей подвига. Царевна отправилась в Корсунь для брака с Владимиром. У Владимира в это время разболелись глаза. Анна, увидев это, советовала ему поспешить с крещением, говоря, что это избавит его «...от слепоты и телесной, и душевной». Князь внял ее словам и приказал немедленно послать за корсунским епископом, который и крестил Владимира. И действительно, едва лишь епископ возложил руку на голову Владимира, чтобы погрузить его в купель, как тот внезапно прозрел и закричал от восторга. При крещении Владимир был назван Василием. За крещением последовало и обещанное венчание Владимира с Анной. Затем князь отправился обратно в Киев, взяв из Корсуни греческих пастырей: первого русского митрополита Михаила и священников, а также святые мощи, много икон, крестов и иных святынь. Корсунь же был возвращен грекам.

В Киеве Владимир прежде всего предложил креститься двенадцати своим сыновьям. Вслед за ними крестились многие знатные люди. Затем Владимир стал готовиться к крещению всех своих подданных, первым делом начав истреблять языческих идолов, которые были преданы топору и огню. Главный же из идолов, Перун, был сброшен с горы, на которой стоял, в воды Днепра.

Священники, прибывшие с князем, собирали народ и наставляли его в вере. Наконец Владимир объявил в Киеве, чтобы все жители явились на берег Днепра для принятия крещения, и назначил день для этого. Киевляне не стали противиться воле князя, рассудив, что государь не принял бы новую веру, не будь она лучше прежней. В назначенный день множество народа собралось у воды. Сюда явился и Владимир с пастырями. Все киевляне вошли в реку кто по шею, кто по грудь, малые дети были на руках у взрослых. Священники на берегу читали молитвы, а князь Владимир, объятый восторгом, поднял руки к небу и молился за своих подданных, призывая Господа благословить новых чад своих.

Крещение князя Владимира и Руси состоялось в 988 году. После Киева и его окрестностей святая вера была распространена в Новгороде, Ростове и Суздальской земле. В Новгород князь послал митрополита Михаила. В Суздаль же и другие города путешествовал вместе с ним и сам князь. Повсюду повелел Владимир крестить народ, ниспровергать языческие требища, изничтожать идолов, а на месте их рубить церкви — согласно древнему христианскому обычаю воздвигать храмы на развалинах языческих святилищ или на крови святых мучеников. Следуя этому правилу, в Киеве князь Владимир построил храм святого Василия Великого на холме, где находился жертвенник Перуна, а на месте мученической кончины святых варягов-мучеников заложил каменный храм Успения Пресвятой Богородицы, призванный стать местом служения митрополита Киевского и всея Руси, первопрестольным храмом Русской Церкви. Этот храм строился пять лет, был богато украшен настенной фресковой живописью, крестами, иконами и священными сосудами, привезенными из Корсуня. Тогда же Владимир пожаловал Церкви десятину, почему и храм Успения Пресвятой Богородицы, ставший центром общерусского сбора церковной десятины, нарекли Десятинным.

С Десятинной церковью и епископом Анастасом связывают начало русского летописания. При ней были составлены житие святой Ольги и сказание о варягах-мучениках в их первоначальном виде, а также «Слово о том, како крестися Владимир возмя Корсунь» и житие святых мучеников Бориса и Глеба.

Для распространения и утверждения веры нужны были ученые люди, нужны были и школы для их обучения. Поэтому Владимир и митрополит Михаил, также впоследствии причисленный к лику святых, «начаша от отцов и матерей взимати младые дети и давати в училище учитися грамоте». Такое же училище устроил в Новгороде Иоаким Корсунянин, первый епископ Новгородский, были они и в других городах.

Сыновья Владимира также ревностно заботились о введении и распространении христианской веры в своих уделах. Отсюда же она шла далее и далее по пределам земли Русской.

Святой Владимир твердой рукой сдерживал на рубежах врагов, строил города и крепости, в том числе «засечную черту» — первую в русской истории линию оборонительных пунктов против кочевников-печенегов, заселяя их «новгородцами, смольнянами, чудью и вятичами...». Однако он воевал не только мечом. Христианизация и миссионерство использовались столь же деятельно.

Эпоха святого Владимира была ключевым периодом для государственного становления

православной Руси. Объединение славянских
земель и оформление государственных границ державы Рюриковичей происходили в на-
пряженной духовной и политической борьбе с
соседними племенами и государствами. Крещение Руси от православной Византии было
важнейшим шагом ее государственного само-
определения.

Главным врагом князя Владимира стал поль-
ский князь Болеслав Храбрый, который тоже
претендовал на роль великого объединителя
западнославянских и восточнославянских племен. Это соперничество восходило еще ко времени Владимирова язычества — в 981 году Владимир отвоевал у отца Болеслава, князя Мешко,
ряд городов Червенской (Червонной, Красной)
Руси (области, позже известной как Галиция).
А в 992 году завершил ее присоединение к своей державе. После кратковременного затишья
«великое противостояние» вступило в новую
фазу: в 1013 году в Киеве был раскрыт заговор
против князя Владимира: его сын Святополк,
прозванный впоследствии Окаянным, княживший в Турове и незадолго до этого ставший
зятем Болеслава, намеревался занять великокняжеский престол силой. Вдохновителем заговора был духовник жены Святополка, епископ
Рейберн, который был схвачен и позже умер в
заточении. Святополк же покаялся перед отцом

и был прощен, хотя и содержался вместе с женой под надзором.

Новая беда назревала в Новгороде. Другой сын Владимира, Ярослав (еще не заслуживший прозвания «Мудрый»), став в 1010 году держателем Новгородских земель, задумал обособить свой удел, завел отдельную дружину, перестал платить в Киев обычную дань и десятину.

Единству Русской земли, за которое всю жизнь боролся Владимир, угрожала опасность. В гневе и скорби немолодой уже князь повелел «мосты мостить, гати гатить», готовиться к походу на Новгород. Но силы его были на исходе. В приготовлениях к походу креститель Руси тяжело заболел и скончался в служившем ему резиденцией селе Спас-Берестове 15 июля 1015 года. Он правил Русским государством тридцать семь лет, из них двадцать восемь лет — будучи христианином.

Тело его было привезено в Киев. В Десятинной церкви гроб с мощами святого Владимира встретило киевское духовенство во главе с митрополитом Иоанном. Святые мощи были положены в мраморной раке, поставленной в Климентовском приделе Десятинного Успенского храма рядом с такой же мраморной ракой царицы Анны, скончавшейся четырьмя годами ранее...

Празднование святому равноапостольному Владимиру было установлено князем Александром Невским после того, как 15 июля 1240 года, помощью и заступлением святого Владимира, была им одержана знаменитая Невская победа над шведскими рыцарями.

Однако церковное почитание святого князя началось на Руси значительно ранее. Митрополит Иларион, святитель Киевский, в «Слове о законе и благодати», сказанном в день памяти святого Владимира у раки его в Десятинном храме, называл его «во владыках апостолом», «подобником» святого Константина и сравнил его апостольское благовестие Русской земле с благовестием святых апостолов.

За труды введения и распространения веры в России князь Владимир, как и бабка его, княгиня Ольга, причислены Церковью к лику святых и почитаемы оба как православными, так и католиками. Святой Владимир именуется равноапостольным, подобно царю Константину.

Такова история жизни и деяний великого князя Владимира с точки зрения иерархов Русской православной церкви.

Но все ли здесь правда и все ли детали — возможно, мелкие, но от того не менее важные — были упомянуты?

И снова вернемся к началу. Увы, русские летописи не отличаются ни полнотой сведений, ни их достоверностью. Период до крещения Руси и вовсе целиком освещен пересказами изустных преданий или слухами, дошедшими до краев, где уже имелась письменность.

В различных современных источниках дату рождения Владимира Святославича можно отыскать в довольно широком диапазоне — от 948 до 962 года. Первая дата выглядит крайне сомнительной, учитывая, что появление на свет его отца, Святослава Игоревича, традиционно относят к 942 году, что подтверждают и византийские источники. Не мог же Святослав стать отцом в шестилетнем возрасте. Что касается самой поздней даты, то она выведена из того, что старший сын Владимира Вышеслав появился на свет в 977 году, то есть до того, как он вокняжился в Киеве. Совершеннолетие в те времена наступало рано, так что Владимир вполне мог стать отцом в четырнадцать-пятнадцать лет. Но наиболее правдоподобным выглядит предположение, что он родился между 956 и 960 годом (ближе ко второй дате). То есть великим князем Киевским он стал примерно в двадцать, а христианство принял в возрасте около тридцати.

Что касается княжения в Киеве, то довольно долго считалось (вследствие ошибок при пересчете дат из летосчисления от сотворения мира в летосчисление от Рождества Христова), что Владимир занял киевский престол в 980 году. Однако из его наиболее раннего жития, написанного Иаковом Черноризцем во второй половине XI века, выводится, что дружина Владимира вошла в Киев 11 июня 978 года. Кроме того, летописец, хотя и упомянул 980 год, указал в своих записях, что Владимир правил 37 лет, что с отсчетом от его смерти в 1015 году, снова дает нам 978 год как начало великого княжения.

С прочими датами та же путаница. Православные источники в большинстве своем указывают, что в 988 году Владимир крестился, женился на византийской царевне и в том же году крестил Русь. Так сказать, почти одномоментно. Во всяком случае, в 1988 году в перестроечном СССР с размахом отметили 1000-летие Крещения Руси. А теперь и в постсоветских России, Беларуси и Украине устраиваются каждое десятилетие юбилейные празднества.

Но действительно ли все это случилось в один и именно этот год?

Прежде всего, совершим небольшой экскурс в ситуацию вокруг Византийской империи и внутри нее в 980-е годы. После легендарных походов на Царьград Игоря и Святослава руссов в Константинополе воспринимали как врагов, пусть и потенциальных. Но правивший с

976 года император Василий II столкнулся с серьезной проблемой внутри империи. Корни ее находились в недалеком прошлом. В 970 году поднявший восстание и провозгласивший себя императором полководец Варда Фока (племянник убитого в 969 году императора Никифора II Фоки) был разбит другим полководцем, Вардой Склиром. Спустя пять лет победитель оказался в отставке в результате дворцовых интриг и уже сам предъявил претензии на корону. Василий II, заняв трон, по совету своего дяди вызвал из ссылки Варду Фоку, который в 979 году сумел разбить войско Склира. Склир, которого посчитали погибшим в бою, нашел пристанище в Багдаде. В 987 году Варда Фока решил воспользоваться войной с болгарами и снова поднял мятеж, объявив себя императором. При этом он предложил вчерашнему врагу Варде Склиру союз. Склир собрал войска и привел их, однако встреча с Фокой закончилась для него заточением в тюрьму. Тринадцатого апреля 989 года Фока погиб в сражении, и выпущенный на свободу Склир возглавил восстание. Однако вскоре был то ли взят в плен, то ли сдался сам, и умер 2 апреля 991 года в своем поместье, помилованный императором. Впрочем, восстание византийских полководцев нам интересно не само по себе, а исключительно в связи с крещением князя Владимира и всей Руси.

Итак, август 987 года. Популярный в византийской армии Варда Фока поднимает восстание и объявляет себя императором. Власть Василия II и его брата-соправителя оказывается под угрозой, поскольку значительная часть армии поддерживает мятеж. И они решаются обратиться за помощью к Владимиру. Уже осенью (то есть почти сразу же — учитывая тогдашние скорости) в Киев прибывают их послы. Лучше прочих описал это в своей летописи, охватывавшей период 976–1031 годов, Яхъя Антиохийский (Яхъя ибн Саид ибн Яхъя ал-Антаки; арабоязычный историк того периода, уроженец Египта, православный по вероисповеданию):

«Был им [Вардой Фокой] озабочен царь Василий по причине силы его войск... И истощились его богатства и побудила его нужда послать к царю руссов — а они его враги, — чтобы просить их помочь ему в настоящем его положении... И заключили они между собою договор о свойстве и женился царь руссов на сестре царя Василия, после того, как он поставил ему условие, чтобы он крестился и весь народ его стран, а они народ великий. И не причисляли себя руссы тогда ни к какому закону и не признавали никакой веры. И послал к нему царь Василий впоследствии митрополитов и епископов, и они окрестили царя и всех, кого обнимали его земли, и отправил к нему сестру свою, и она построила многие церкви в стране руссов. И когда было решено между ними дело о браке, прибыли войска руссов и соединились с войсками греков, которые были у царя Василия, и отправились все вместе на борьбу с Вардою Фокою морем и сушей, в Хрисополь. И победили они Фоку...»

То есть по этому договору князь Владимир предоставлял Византии, выражаясь современным языком, 6-тысячный «экспедиционный корпус», состоявший в основном из наемников-варягов (одновременно снимая с себя головную боль по их содержанию), и принимал святое Крещение. Взамен он получал руку царевны Анны, а с ним и родство с византийским царским родом — что сильно поднимало его статус не только в собственных глазах.

Помощь из Киева прибыла вовремя. В начале 988 года войска мятежников подошли к Босфору, и от столицы империи их отделял лишь этот пролив. В битве у города Хрисополь летом того же года «руссы» вместе с войсками императора нанесли первое поражение мятежникам. Первое, но не последнее.

Однако не будем забегать вперед. Согласно житию, написанному Иаковом, Владимир был крещен в 987 году, то есть к тому моменту уже почти год. По всей видимости, это могло произойти после заключения договора о военной помощи. Тем более что бояре и воеводы поддержали Владимира в выборе новой веры. Однако нам известно, что до женитьбы его на византийской царевне и крещения Киева имел место поход русских дружин на Корсунь, с последующей осадой и взятием этого оплота византийского господства на Черном море. «Повесть временных лет» относит сей поход к началу лета 988 года, плюс-минус несколько недель. Однако Лев Диакон, к слову, единственный из тогдашних византийских хронистов посчитавший взятие Херсонеса руссами достойным упоминания, привязывает это событие к появлению кометы, которое было отмечено в июле–августе следующего, 989 года. Осада, по разным данным, длилась от 6 до 9 месяцев, то есть вполне могла начаться поздней осенью 988 года, после ухода «экспедиционного корпуса» на помощь грекам и сообщений о его первых успехах. Основной версией до сих пор считается захват города с целью принудить византийцев выполнить свои обещания и отправить царевну Анну к Владимиру. Учитывая важность Херсонеса как ключевого узла многих торговых маршрутов, версия небезосновательная. Однако непонятно, почему тогда присланные Владимиром отряды все эти месяцы продолжали громить войска Варды Фоки, словно ничего не случилось (и вообще, участие «руссов» в подавлении мятежей в Византии задокументировано вплоть до конца X века). Однако есть и другая версия — Херсонес принял сторону мятежников, и, штурмуя город, киевский князь лишь выполнял свои союзнические обязательства. То есть не было никакого «возмущения греческим лукавством».

К слову, есть еще один момент, который историки церкви старательно обходят. Владимир выбирал религию не только и даже не столько для себя — интересы растущего единого государства требовали соответствующей идеологии. Прежний языческий культ с его многобожием этим требованиям уже не удовлетворял. Попытка Владимира его «модернизировать» — ввести среди богов и божков некое подобие иерархии, назначив Перуна главным богом — желаемого эффекта не дала. Принесенный князем из варяжских краев обычай человеческих жертвоприношений придавал язычеству слишком уж мрачный вид. Кстати, весьма громко он ударил по другим варягам — варягам-христианам. Уже потом князь воздвиг на месте гибели варягов-мучеников храм Успения Пресвятой Богородицы, в котором потом пребывали его собственные мощи — до самого разрушения храма татарами. По утверждению некоторых летописцев, твердость в вере этих варягов впечатлила князя и способствовала впоследствии сделанному им выбору. Может быть. Но в тот год, когда разъяренные киевляне-язычники убили Федора и его сына Иоанна, которого выбрали для жертвоприношения, князь даже не пообещал наказать виновных — ведь все было по закону, самим же князем и утвержденному: одному выпал жребий, а другой пытался этому помешать...

Однако как же княжеская свадьба? Большинство источников сходится на том, что она состоялась после взятия Херсонеса и прибытия туда Анны со свитой и священниками. После чего князь с молодой женой отправился в обратный путь к Киеву. Что тоже заняло не один день. И даже не неделю. Так что крещение Руси снова откладывалось. Справедливости ради замечу, что вовсе не по вине Владимира...

Кстати, о женах. По христианским обычаям, жена у человека должна быть одна, даже если он великий государь. А вот с этим у Владимира были некоторые трудности. Жен у него в язычестве было больше, чем одна. Причем одновременно. Возможно, поэтому он поначалу проявил интерес к мусульманству. Впрочем, иные мусульманские установления оказались для него еще более неприемлемы. Итак, в языческий период своей жизни Владимир Святославич показал себя весьма любвеобильным мужчиной. Только признанных жен у него было до крещения четыре, включая Рогнеду — дочь по- лоцкого князя Рогволода. И даже после смерти Анны Византийской, с которой прожил в бра- ке два десятилетия, Владимир успел жениться еще раз (но этот брак был недолог, и достовер- ных сведений о его последней жене нет). А уж сколько у него было наложниц... Тут вполне можно доверять «Повести временных лет», хотя некоторые и называют ее «первым примером фальсификации исторических документов на Руси»: «Был же Владимир побежден похотью, и были у него жены [...], а наложниц было у него 300 в Вышгороде, 300 в Белгороде [Белгороде- Киевском] и 200 на Берестове, в сельце, кото- рое называют сейчас Берестовое. И был он не- насытен в блуде, приводя к себе замужних жен- щин и растляя девиц».

Это, к слову, еще один аргумент в пользу версии о невысокой вероятности одномомент- ного крещения Владимира и его свадьбы с ца- ревной. Сначала князю следовало разобраться со своим гаремом. Что он и сделал. Рогнеде он предложил самой выбрать себе мужа, но гордая полочанка будто бы предпочла монастырскую келью. Остальных он и вовсе просто освободил от исполнения супружеских обязанностей (по одной из версий, выдал за своих дружинников). Судьба же наложниц и вовсе покрыта мраком.

О Рогнеде стоит сказать особо. Ее отец —

полоцкий князь Рогволод — во время конфликта между сыновьями Святослава принял сторону Ярополка и даже просватал за него Рогнеду. В.Н. Татищев утверждал, ссылаясь на Иоакимовскую летопись, что Рогволод был не просто вассалом Ярополка, но и активным участником междоусобицы Святославичей — захватил оставленные Владимиром «волости новгородские». Когда же Владимир вернулся с варягами, он прислал к полоцкой княжне сватов.

Был ли Рогволод из варяжского рода, достоверно неизвестно, хотя и принято так считать. Однако Рогнеда знала славянский свадебный обычай «разувания». Посему на вопрос отца перед послами новгородского князя, хочет ли она за Владимира, княжна ответила: «Не хочу разуть сына рабыни, хочу Ярополка». Во всяком случае, примерно в таком виде приводит ее слова все та же «Повесть временных лет».

Это было жестокое оскорбление не только Владимиру, но и Добрыне — его послу, воеводе, главному советчику и брату его матери. После этого Владимир Святославич привел к Полоцку отряды варягов и новгородцев. Суздальская летопись Лаврентьевского списка говорит о происшедшем далее достаточно недвусмысленно: «...и подступили к городу, и взяли город, и самого князя Рогволода взяли, и жену его и дочь его; и Добрыня, в оскорбление ему и дочери его, нарек ей сына рабыни, и повелел Владимиру быть с ней перед отцом ее и матерью. Потом Владимир отца ее убил, а саму взял в жены...» Выражаясь более привычным нам языком, будущий креститель Руси изнасиловал Рогнеду, заставив смотреть на это ее родителей и двух старших братьев, которых после этого уже у нее на глазах и убил. Это не помешало ему взять обесчещенную им девушку в жены. Некоторые историки полагают, что дело было в том, что род Рогволода имел право наследовать полоцкий престол, но достоверных сведений об этом нет.

Так или иначе, но Рогнеда стала женой Владимира. Возможно, по языческой традиции сменила имя на Гориславу, как утверждают некоторые источники. И родила убийце своей семьи семерых детей — четверых сыновей (Изяслава, умершего во младенчестве Мстислава, Ярослава и Всеволода) и трех дочерей. В 986 или 987 году (когда Владимир всерьез задумался о новой религии для себя и своей растущей державы) Рогнеда решилась вдруг убить мужа. По версии, поддерживаемой многими белорусскими историками, решилась, наконец, отмстить ему за свой позор и за смерть своих близких. Красивая легенда, однако, теряет свою убедительность, едва задумываешься на тем, что Владимир к тому моменту был ее мужем уже не первый год и она родила ему семерых детей. Не поздновато ли для мести за родных? Скорее, дело было в том, что Владимир не делал секрета из того, что намерен принять новую веру и породниться с византийскими императорами. Знала Рогнеда и о том, что христианство не приемлет многоженства, а это означало, что из старшей по родовитости жены она превратилась бы в пустое место. Вот этого она Владимиру простить не смогла. Однако, хотя и взяла нож, убить князя не сумела. Разгневанный князь схватился за меч, но на крик прибежал малолетний Изяслав, ставший на защиту матери с детским деревянным мечом. Убить жену на глазах у сына Владимир не решился. По совету бояр он отправил Рогнеду с Изяславом в полоцкую вотчину, фактически в ссылку. Разоренный Полоцк на роль пристанища для них не годился. Для этого было основано новое поселение, названное Изяславлем — в честь опального княжича.

Вместе с остальными братьями и киевлянами Изяслав принял крещение, а годом позже получил от отца полоцкий удел. Если верить летописям, характер он имел «тихий, и кроткий, и смирный, и милостливый», был умным и образованным человеком. Изяслав прожил чуть больше двадцати лет и умер в 1001 году, всего на год пережив мать, но успел отстроить

Полоцк на новом месте — на более высоком и защищенном левом берегу Полоты у места ее впадения в Западную Двину. Женился и оставил двоих сыновей, став тем самым основателем полоцкой ветви Рюриковичей. Впрочем, князья этой ветви считали себя Рогволодовыми внуками — по женской линии, и род свой вели не от «пожалования Владимира Изяславу», а по линии наследования от Рогволода. Особое место среди них занимает внук Изяслава, Всеслав Брячиславич, по прозванию «Чародей», правивший в Полоцке необычайно долго — 57 лет (с 1044-го по 1101-й), и внучка уже самого Всеслава — святая Ефросинья Полоцкая. Прежде чем попрощаться с Рогволодовичами, отмечу, что полоцкие князья всегда держались достаточно независимо от Киева, даже если проявляли лояльность не только показную. И среди потомков Изяслава не было ни одного князя по имени Владимир.

Однако мы забрались далеко вперед. Вернемся же к ключевому моменту деятельности Владимира — крещению Киева и всей Руси.

Вслед за летописями и житиями многие авторы распространяли утверждение, что крещение Владимира, его столицы и всей его державы случилось если не в один день, то хотя бы в один год. Принять на веру это утверждение современному человеку легко. Мол, и людей тогда было меньше, и расстояния невелики, и Киевская Русь по территории сильно уступала современной Российской Федерации, не говоря уж об СССР или Российской империи. Однако, если задуматься над этим утверждением всерьез, то все это выглядит не столь однозначно.

Вот что писал профессор Е.Е. Голубинский в своей «Истории Русской церкви» о крещении Руси, точнее, о том, когда оно состоялось:

«В Корсуни с переговорами о браке и с самим его совершением, с переговорами об устройстве церковного управления, с набором священников и других необходимых людей, Владимир имел весьма немало дела. Поэтому нужно думать, что он пробыл в ней более или менее долгое время, и что возвратился из нее в Киев или только в самом конце 989 года, или даже в следующем 990 году. Так как нет оснований и нельзя предполагать, чтобы по возвращении он действовал с поспешностью и тотчас же совершил крещение киевлян, как только прибыл в Киев, то вообще представляется необходимым принимать за год этого крещения 990-й год (четвертый от собственного крещения Владимира). Житие Владимира неизвестного автора и за ним повесть о крещении, помещенная в летописи, представляют дело о крещении Владимиром киевлян таким образом, что — возвратился из Корсуни, сокрушил бывшие в городе идолы, отдал в один прекрасный после сего вечер приказ явиться всем на другой день поутру на реку для купания (что есть крещение как внешнее действие) в новую веру, — и сделал людей из язычников христианами, т.е. представляют дело таким образом, будто вся недолгая история состояла в том, что приказал и исполнено...»

Трудно спорить с этой точкой зрения. Иначе ведь действительно получается, что князь повелел — и все уверовали. Но нельзя «наставить в вере» всех и сразу. Даже Владимир, думаю, не рассчитывал на такой результат. Более того, князь понимал, что не все и не сразу примут новую веру — и должен был понимать, что лучше будет, если это будет выглядеть — хотя бы выглядеть — как результат свободного выбора лучшей части народа. Пусть и по примеру великого князя.

То, что низвержение идолов и крещение киевлян произошли на очень коротком отрезке времени, не отменяет того, что князь Владимир очень основательно подготовился к этим событиям. Иначе говоря, люди, крушившие языческие святыни и окунавшиеся в воды Днепра, не были все как один бездумными исполнителями княжеской воли. Но для этого они должны были получить хотя бы минимальное представление о новой вере, а для этого требовались те, кто смог бы их наставить. Требовалось и время, чтобы их научить. Е.Е. Голубинский предположил, что, возможно, в Киеве проводились специальные собрания, своего рода «огласительные школы», знакомившие русичей с основами христианства. Но вот вопрос — кто вел эти собрания? Ведь священники, которые прибыли к Владимиру вместе с Анной, были греками. И вряд ли все они владели языком руссов, а скорее всего — считаные единицы или даже никто из них. Значит, требовались переводчики, а еще лучше — священники, способные нести Слово Божие будущей пастве на понятном ей языке. Священники из числа варягов были слишком малочисленны. По мнению Голубинского, Владимир мог найти их у болгар. Ведь созданная Кириллом и Мефодием славянская азбука использовалась к тому моменту уже более ста лет, а значит, было где взять и богослужебные книги. Тем более что одна из его языческих жен была из болгарских земель. То есть контакты были налажены. Но даже если Владимир заранее озаботился подготовкой всеобщего крещения, на это все равно требовалось много времени. В том числе и потому, что до появления печатной — то есть быстро тиражируемой — книги оставалось еще более четырех веков.

И если крещение киевлян все же может считаться почти мгновенным в историческом масштабе, то крещение всей Руси никак не могло совершиться быстро — русские земли не представляли собой того монолита, каковым они стали гораздо позже. Как писал Голубинский, «великая перемена, которую народ позволил совершить с собою в Киеве, еще ничего не говорила другим областям русским, потому что другие области еще смотрели на свои столицы и на свои старшие города». То есть только Киевское княжество могло быть крещено в кратчайшие сроки — в иных областях на приготовление требовались, возможно, годы. И, скорее всего, процесс начался с тех, от кого ожидалось наименьшее сопротивление. Или же с тех, кому никак нельзя было позволить выбрать иной путь. Например, первый епископ за пределами Киева был назначен в Новгород — город, жителей которого Владимир знал лучше прочих. И который мог стать в ту пору едва ли не главным конкурентом Киева в деле собирания русских земель. Не случайно в помощь епископу великий князь направил своего дядю Добрыню — здесь слово пришлось подкреплять силой...

Профессор Голубинский, полагая, что в реальности распространение христианства на Руси было едва ли не главным предметом деятельности Владимира на протяжении всех более чем 25 лет его правления после личного обращения к новой вере, писал:

«Мы не имеем положительных сведений о том, что успел Владимир сделать; но мы имеем положительные сведения о том, чего он не сделал и что было делаемо уже после него. Предполагая с совершенным правом и основанием, что все, о чем не говорится после, было уже сделано им, мы получим, что он крестил половину Руси, и именно — что он крестил всю ту часть ее, которая по населению была чисто русско-славянскою или Русью в собственном и теснейшем смысле, и что оставил некрещеною часть Руси не-русскую — инородческую (и иноплеменную)».

Полно источников, подтверждающих этот вывод — к примеру, известно, что в Ростово-Суздальской земле христиане оставались в меньшинстве и после смерти Владимира — вплоть до начала XIII века. По большому счету, князь Владимир поступил очень толково. Он отложил христианизацию инородцев до тех времен, когда они перестанут считать себя не-русскими. Ведь это и в самом деле было не так уж принципиально — когда эти племена примут веру Христову. Гораздо важнее было, что все они были данниками Русского государства, а принудительное и поспешное насаждение новой религии могло иметь гораздо более отрицательные последствия. В этом вопросе Владимир действовал весьма прагматично и расчетливо. Пропустим перечень племен, давно растворившихся в русском этносе, освоенных ими территорий, а также то, как их характеризует Голубинский, и перейдем к более важной части его выводов:

«Если бы судить по пространству, то нужно было бы сказать, что Владимиром была крещена меньшая половина Руси, ибо Русь собственная относилась тогда к Руси инородческой приблизительно так же, как в настоящее время европейская Россия относится к Сибири».

Оценивая достоверность сведений из Густинской летописи о том, что Владимир, раздав сыновьям уделы и «посла с ними и священников, заповедая им, да кождо по всей области своей повелевает учити людей и крестити людей и церкви ставити, еже и бысть», Голубинский отмечал, что «как было совершаемо и совершено Владимиром крещение собственной Руси, мы не имеем совершенно никаких сведений», и что вполне логичное утверждение летописца опрокидывается тем фактом, что в 991 году (когда, по мнению Голубинского, Владимир, приступил к крещению всей Руси), даже самые старшие сыновья князя были слишком молоды — с поправкой на разнобой в датах никому из них не было больше 12 лет, за исключением Вышеслава, которому могло быть 14. Для того, чтобы они реально приняли на себя всю полноту власти в своих уделах, должно было пройти несколько лет. То есть присоединились к отцовскому делу всей жизни далеко не сразу. Однако это не противоречит другим важным выводам, «...что, во-первых, Владимир сам лично принимал деятельное участие в крещении если не всех, то большей части областей, и, во-вторых — что он сам лично возможно-усердным образом производил надзор за тем, чтобы христианство в областях водворялось возможно скорее и успешнее». К этому Голубинский делает существенное уточнение: «Владимир принял христианство не в преклонной старости, а именно в годы наибольшей способности человека к деятельности (невступно в 30 или с небольшим 30 лет): очевидно, есть вся вероятность предполагать самое широкое участие непосредственное».

Однако крещение Руси при Владимире не было всеохватным не только в плане территорий — даже там, где христианство победило вроде бы безоговорочно, на самом деле не все было так гладко, как писали летописцы. Об этом профессор Голубинский тоже высказался достаточно ясно:

«Когда мы говорим, что при Владимире была крещена вся собственно русская Русь, то этого никак не должно понимать в том смысле, будто крещены были все до одного человека. Не желавших креститься, нет сомнения, было весьма много как в Киеве, так и вообще по всей Руси... дело о крещении Руси Владимиром должно понимать так, что было крещено большее или меньшее большинство жителей, что язычество было объявлено верою запрещенною и преследуемою... и что оно, хотя далеко еще не перестало существовать, стало верою тайною, подобно расколу старообрядства во времена его сильнейших преследований». Иначе говоря, по-настоящему туго пришлось не принявшим новую религию лишь в Киеве и его окрестностях, где власть великого князя была наиболее зрима и эффективна. Здесь им приходилось или креститься против собственной воли, или принимать мучительную смерть (становясь безвестными страдальцами за старых богов), или бежать. Бежать туда, где княжьи дружинники случались лишь наездами, и можно было скрыться и переждать. А при острой необходимости — и избавиться от непрошеных гостей. К этому Е.Е. Голубинский добавляет весьма справедливый и довольно жесткий вывод:

«...Совершенная покорность русских воле князя в деле перемены веры и так называемое мирное распространение христианства на Руси есть не что иное, как невозможная выдумка наших неумеренных патриотов, хотящих приносить здравый смысл в жертву своему патриотизму. Нет сомнения, что введение новой веры сопровождалось немалым волнением в народе, что были открытые сопротивления и бунты, хотя мы и не знаем о них никаких подробностей...»

Почему же сопротивление внедрению новой религии, которое было процессом вполне естественным и было представлено отнюдь не единичными случаями своего проявления, не победило? Но кому обычно свойственно защищать свою веру? Прежде всего — служителям веры, для кого это и призвание, и в немалой степени — личный интерес. Но волхвы не были служителями культа в привычном нам понимании, не были представителями единой касты, как жрецы в Египте или Индии. При своей многочисленности и общем желании не допустить вытеснения своих старых культов христианством, они не были серьезным противником для отвергшего их государства. Вот что об этом говорил профессор Голубинский:

«Сословие наших волхвов не было сословием организованным, так чтобы борьба с их стороны могла быть ведена общею массой и по одной общей команде. Они представляли борцов немалочисленных, но разрозненных и одиночных, а при таком положении дела правительству, как оно поступало после, не было затруднения освобождаться от них тем, что они внезапно исчезали и пропадали без вести, быв по мере их опасности или заключаемы в тюрьмы или предаваемы смертной казни».

Иначе говоря, отношения власти с инакомыслящими на Руси имеют очень давние традиции...

Но вернемся к князю Владимиру. Точнее, к его наследникам. Как здесь уже говорилось, Владимир имел четырех жен во язычестве и дважды был женат уже как христианин. Естественно, что у князя были дети. Достоверно известно о 13 сыновьях (в том числе Позвизд, имя матери которого неизвестно; порядок их старшинства достаточно условен) и минимум 10 дочерях (известны имена лишь четырех). О детях Владимира и Рогнеды я уже упоминал, были у него дети и от других жен. В том числе от последней жены-христианки князь имел дочь, названную Добронегой (крещена Марией), ставшую уже после смерти отца женой польского короля Казимира I. Особняком среди сыновей князя стоит Святополк, прозванный Окаянным. На его матери, бывшей греческой монахине, а потом и вдове его брата Ярополка, Владимир не был официально женат, хотя и сделал своей наложницей, а родившегося после смерти Ярополка сына признал своим. Что касается брака с Анной Византийской, то, хотя он и продлился более двадцати лет, летописцы о детях Владимира и Анны не упоминают. Возможно, у них была дочь (или дочери), но письменные источники тогда не забывали упомянуть лишь сыновей-наследников. Впрочем, не исключается и то, что великий князь, часто пребывавший в долгих разъездах по своим обширным владениям и военных походах, вполне мог оставить после себя еще сколько-то детей, матери которых благоразумно не претендовали на признание отцовства. Однако это всего лишь ничем не подкрепленные предположения, так что не будем оскорблять чувства верующих. Отсутствие детей в этом браке могло иметь и иные причины, особенно с учетом уровня тогдашней медицины и гигиены.

Во всяком случае, далеко не все из признанных Владимиром детей оставили хоть сколько-нибудь заметный след в истории. Об Изяславе Полоцком уже говорилось, а вот о других сыновьях стоит сказать отдельно. Выше упоминались связанные со Святополком и Ярославом события, происходившие в Киевской Руси в последние два года жизни Владимира. О причинах, побудивших княжичей пойти против отца, летописи говорят в основном вскользь. И если со Святополком картина украшена хоть какими-то подробностями (вроде того, что он сам считал себя сыном Ярополка, хотя и пользовался всеми привилегиями сына Владимира), то, что побудило княжившего в Новгороде Ярослава стремиться обособить свой удел, обычно не разъясняется — летописцы больше говорят о том, как был огорчен Владимир, собирая войска в поход на собственного сына (и еще неизвестно, дожил бы Ярослав до признания Мудрым, не прервись жизнь Владимира). Как ни странно, но причина у обоих князей была одна. В последние годы жизни Владимир явно выделял из своих сыновей одного — младшего Бориса, и не скрывал своего намерения изменить порядок престолонаследия в его пользу, и даже передал под его начало свою личную дружину. Естественно, это не устраивало ни Святополка (считавшегося самым старшим на тот момент), ни Ярослава (чей удел был наиболее значимым после Киева). Противостояние этих двоих едва не ввергло Русь в большую смуту после смерти их отца и стоило жизни троим их братьям (Борису и Глебу, признанным впоследствии святыми мучениками, и Святославу, который не стал святым — возможно, потому, что погиб в честном, хотя и неравном бою с дружиной Святополка, а не был убит безоружным, как его братья), однако мы говорим не о них, поэтому сделаем еще один шаг назад.

Упомянем, выражаясь современным языком,

культурно-социальную политику Владимира Святого. Выше говорилось о том, что повелением князя набирались дети в школы учиться грамоте — чтобы было кому нести и утверждать священные истины. Это правда — священники, способные читать богослужебные книги, действительно требовались Церкви. Однако цели князя были гораздо шире этого. По мнению Голубинского, «...Владимир не только был крестителем Руси, но хотел быть и ее просветителем, желал и имел намерение сделать ее страною не только христианскою, но и европейскою во всем смысле этого последнего слова. Вскоре после возвращения из Корсуни, или приведши сам вместе с священниками или получив немного спустя времени вместе с митрополитом и епископами ученых людей и учителей, Владимир роздал этим последним в учение детей... своих бояр и, по всей вероятности, лучших граждан киевских. Весьма неудачным образом предполагая, что дети... набраны были для приготовления в священники, в этом распоряжении Владимира, обыкновенно, видят заботу, относившуюся к церкви. Но дети знатных людей не могли быть набраны для сейчас указанной цели, ибо, с одной стороны, они нужны были для государственной службы, а с другой — отцы их не могли иметь ни малейшей охоты отдавать их для приготовления в священники,

которые должны были выбираться не из зна-
ти, а совсем из других сословий. Дети знатных
людей могли быть набраны для учения только
с той целью, чтобы стать людьми более или менее просвещенными независимо ни от каких
практических целей; иначе сказать, помянутое
распоряжение Владимира означает, что с гене-
рации набранных детей он хотел водворить в
высшем русском обществе греческое просвеще-
ние». То есть князь руководствовался интереса-
ми в большей степени государства, чем церкви.
Увы, как и многое другое, грамотность распро-
странялась насильственными методами. Не
случайно в «Повести временных лет» осталась
такая запись: «Посылал он собирать у лучших
людей детей и отдавать их в обучение книжное.
Матери же детей этих плакали о них; ибо не ут-
вердились еще они в вере и плакали о них как
о мертвых...»

Трудно сказать, когда именно Владимир Святославич действительно был причислен к лику
святых. Впервые князь Владимир упомянут как
святой в Ипатьевской летописи под 1254 годом,
а о праздновании памяти его как святого впервые записано в Лаврентьевской летописи под
1263 годом. Считается, что празднование святому равноапостольному Владимиру было установлено князем Александром Невским после
того, как в 1240 году была одержана им победа

над шведами в битве на Неве, случившейся 15 июля — в день смерти святого Владимира. Любопытно, однако, что во многих ранних списках жития Александра Невского в перечне святых, упоминаемых в связи с Невской победой, имени Владимира нет. А умер Александр в 1263 году. Впрочем, о нем мы тоже еще вспомним, а пока попробуем ответить на вопрос — почему человек, больше других сделавший для распространения православия на Руси, не был признан святым хотя бы сразу после своей смерти? Вот что об этом писал профессор Голубинский: «Что было этому причиной, мы не можем сказать положительно, но с вероятностью предполагаем, что она заключалась в тех изобильных пирах... Память о них долго жила в народе, и они-то и могли смущать и затруднять совесть народную признать Владимира святым, ибо пиры и святость, которая — по позднейшим впавшим в односторонность понятиям — стала непременным синонимом аскетизма, должны были представляться вещами трудно совместимыми. Владимир мог быть признан святым, когда живая память о пированьях — почестных пирах и о столованьях — почестных столах его наконец совсем исчезала, оставшись только в былинах народных, и когда он остался для представления народного только крестителем Руси».

Вот уж действительно — как-то не слишком сильно поменялся образ жизни Владимира с принятием новой веры. Все те же изобильные пиры, заседания с боярами и воеводами, все те же многодневные вояжи по владениям...

После смерти останки Владимира, как и Анны Византийской, заключенные в саркофаги, находились в построенной им Десятинной церкви до 1240 года, когда Киев был разорен монголо-татарами, а храм разрушен (до этого храм разоряли дважды — в 1169 и 1203 годах; правда, русские князья — сын Андрея Боголюбского Мстислав и Рюрик Ростиславич, правнук Владимира Мономаха). Следующие несколько столетий никого не интересовала их судьба — единственным «чудом», связанным с именем Владимира, было его чудесное исцеление при крещении, ничего невероятного сам он не творил, да и мощи князя не являли чудес. Лишь в 1635 году руины храма были разобраны по распоряжению киевского митрополита Петра Могилы. Найденные там саркофаги митрополит принял за захоронение великого князя и Анны Византийской (хотя известно, что в Десятинной церкви с 1007 года сохранялись мощи Святой Ольги, а еще ранее и Святого Климента, привезенные Владимиром из Корсуни, а с 1044 года и «посмертно крещенных» братьев Владимира — Ярополка и Олега Святославичей). Мощи были извлечены и розданы в Успенский и Софийский соборы Киева, а также в Успенский собор в Москве, сами же саркофаги были вновь преданы земле. В 1826 году архитектор Н.Е. Ефимов заново раскопал это место перед началом строительства новой Десятинной церкви (в советское время тоже уничтоженной). Но найденные им саркофаги не соответствовали описанию XVII века. Мощи, приписываемые Владимиру, к настоящему времени утрачены. Долгое время считалось, что Петр Могила определил саркофаг Владимира Святого по надписи. Однако текст, якобы списанный с него по распоряжению епископа, содержал ряд явных ошибок, а также датировку от Рождества Христова, которая вошла в обращение гораздо позднее. Не исключено, что найденные мощи принадлежали вовсе не Владимиру. Однако попрощаемся уже с крестителем Руси и пойдем дальше.

Леонтий, епископ Ростовский и Суздальский

Посмертной славе этого святого в немалой степени способствовал Андрей Боголюбский. Именно его стараниями началось церковное почитание Леонтия после того, как мощи святого были найдены, когда суздальский князь в

1162 году повелел отстроить взамен сгоревшего деревянного Успенского собора в Ростове каменный храм. К правлению же святого Андрея относится и появление первого жития святого Леонтия.

Как водилось в ту далекую эпоху, место и время рождения человека зачастую оставалось тайной даже для современников, что уж говорить о последующих поколениях. Неизвестно ни когда появился Леонтий на свет, ни где, ни кто были его родители. Известно, что крещен Леонтий был во младенчестве, а затем по распоряжению великого князя Киевского отдан в обучение в одну из созданных Владимиром Святым школ — с целью последующего посвящения в духовный сан. Отрок оказался благодарным слушателем своих наставников. Окончив училище в Киеве, он уехал в Константинополь — чтобы продолжить углубление своих познаний. По возвращении из Византии (не ранее 1032 года) Леонтий отправился в Печерскую обитель, где провел почти двадцать лет в иночестве, продолжая совершенствоваться в своем духовном развитии. Еще до того, как в 1051 году киевским митрополитом стал Илларион, принявший прежде постриг в той же обители, Леонтий был рукоположен в епископы ростовские, став «первым престольником» из иноков печерских.

В Ростове, считавшемся тогда самым краем русской земли, к появлению нового епископа уже много лет не было собственного князя — после того как был убит княживший тут сын Владимира Святого Борис (впоследствии канонизированный вместе с братом Глебом), да и после, когда в 1054 году умер Ярослав Мудрый и Ростов отошел к его сыну Всеволоду, князь Всеволод жил в Киеве либо в Переславле и ни разу в этот свой удел не приезжал. Так что новый епископ оказался едва ли не одинок в своем стремлении нести свет веры местным язычникам — среди ростовских старейшин христиан не было. В наследство от предшественников остался ему Успенский собор, построенный еще при жизни Владимира Крестителя, в конце X века, первым ростовским епископом Феодором. Христианская община в городе была невелика, жители же относились к вере Христовой настороженно и даже враждебно — Леонтий знал, что и Феодор, и присланный после него грек Иларион были изгнаны из Ростова, причем Феодор позже вернулся, но снова был изгнан после смерти Бориса.

Поселившись при храме, Леонтий прежде всего занялся просвещением клира, изрядно, видимо, ослабевшего в вере в таких условиях. Возможно, именно ему принадлежало «Поучение и наказание к попам о всем, как подобает детей своих духовных учить и епитимьи им давать, по заповедям и по правилам святых отцов» (хотя и не все согласны с его авторством). Однако Леонтий не ограничился «поучением и наказанием» своих клириков — епископ едва ли не сразу принялся проповедовать истины христианские ростовским язычникам, относившимся к племени меря. Проповеди его встретили сопротивление язычников, сначала глухое раздражение, а потом и прямое насилие — неоднократно прогоняли они его, пока совсем не изгнали из города. Однако Леонтий не ушел прочь, как его предшественники (и даже в Суздаль, как Феодор), а поселился вблизи от Ростова, построив небольшую церковь во имя святого Михаила. Частыми гостями его стали ростовские отроки, которые, соблазнившись поначалу сваренной с медом пшеницей, внимали его проповедям, и в их душах прорастали семена веры Христовой. Со временем Леонтий снова вернулся в город, и отроки эти приходили на его проповеди и приводили с собой друзей и родителей. И многие из них приняли крещение. Обозленные успехом Леонтия в миссионерской деятельности, язычники захотели убить епископа. Они взяли оружие и, окружив Успенский собор, потребовали, чтобы Леонтий вышел к ним. И многие из клира дрогнули душой и стали уговаривать епископа тайно скрыться от врагов своих. Однако епископ облачился в архиерейское одеяние и приказал клирикам облачиться в священные одежды, и вышел к народу. Не ожидали язычники от него такой смелости, и ослепил их свет, исходивший от его лица. Пораженные, попадали они ниц, иные ослепли, иные же обездвиженные лежали, словно мертвые, у его ног. И молитвой своей Леонтий поднял их и исцелил. Многие из них склонились перед верой его и крестились. И с тех пор христианская община в Ростове начала расти, а язычество — терять свою силу. «Тогда начал отходить мрак идольский, и воссиял свет благоверия», — говорится в древнем похвальном слове святителю Леонтию.

Более двадцати лет нес слово Божье ростовским жителям Леонтий. Сведения о кончине его разнятся — одни говорят, вослед за Макарием, что умер он мирно, от старости; другие же — что был растерзан обозленными язычниками, как писал епископ Симон (в 1225 году в послании к Поликарпу-черноризцу). Неизвестна и точная дата его смерти.

Погребен епископ Леонтий был в храме, в котором служил многие годы — в Успенском соборе в Ростове. Там же были обретены его мощи нетленные, которые были положены в каменный гроб, присланный Андреем Боголюбским, и размещены в новопостроенном соборе, в небольшом приделе с южной стороны алтаря.

Но собор, увы, обрушился в 1204 году. И мощи святого Леонтия перенесли в церковь Иоанна Богослова, заменившую Ростову соборный храм. В 1231 году собор Успения Богородицы был отстроен заново и мощи святого вернулись на прежнее место.

В конце XIV века мощи святого начали проявлять свою чудотворную силу, излечив от болезни князя Ростовского Ивана Александровича. С новой силой мощи проявили себя после великого пожара 1408 года. Кроме сорока исцелений слепых, хромых, немых, сухоруких, недужных и расслабленных, известны исцеления от коросты, у гроба святого исцелились трое беснующихся и некая женщина, впавшая было в безумство, но от мощей вернувшаяся в рассудок.

С XVII века мощи святого Леонтия почивают под спудом. В 1884 году во время реставрации собора был найден в подземелье древний придел в честь святителя с вмурованной в стену гробницей (где, вероятно, и покоятся его мощи).

Такова история ростовского святителя с точки зрения Православной церкви.

Тем не менее в истории святого Леонтия немало белых пятен. Многие источники (в том числе и все шесть известных редакций жития)

склоняются к тому, что он был родом грек из Константинополя. Это, правда, ставит под большое сомнение утверждение о том, что отдан он был в обучение по повелению великого князя киевского в малолетнем возрасте. Греки, тем более священники, насколько мне известно, попадали на Русь уже взрослыми и прошедшими обучение и посвящение в духовное звание. Кроме того, предположение о том, что малолетний грек мог учить русский язык в Византии, кажется мне довольно спорным. Не из чистого же патриотизма В.О. Ключевский придерживался версии о русском происхождении Леонтия — фраза с упоминанием идолов и кумиров, отвергнутых юным Леонтием, тоже наводит на такую мысль. Ведь где в Византии он мог столкнуться с язычниками и их капищами?

Однако если сведения о «научении» верны, то тогда неясно, о каком князе идет речь — вполне возможно, что это могло случиться и в последние годы жизни Владимира Святого, и в первые годы правления Ярослава Мудрого. Во всяком случае, до 1032 года, то есть до возвращения Леонтия из Константинополя (опять же, даже те источники, что говорят о греческом происхождении святого, употребляют слово «возвращение», а не «прибытие») и прихода его в Киево-Печерский монастырь, где он принял постриг, в биографии Леонтия нет ни одного достоверного (тем более достоверно датированного) факта. Следующие два десятилетия тоже покрыты мраком — вплоть до поставления Леонтия в ростовские епископы ничего о нем не известно. Жития об этом периоде тоже практически умалчивают, отмечая лишь его высокую образованность и немалые добродетели («бысть черноризец чюден»).

Известно также, что Леонтий, оказавшись в Ростове, выучил язык племени меря. Убедившись, что его прямая проповедь, обращенная к взрослым мерянам-язычникам, вызывает у адресатов лишь глухое раздражение и даже позывы к насилию, епископ, что называется, «сменил тактику». Будучи изгнан из Ростова, он переключился на неискушенных подростков, заманивая их в свое жилище сладким сытным варевом...

Дата смерти Леонтия варьируется от 1070 (Макарий) до 1072 (Тверская летопись), 1073 (Симон) и даже до 1077 года («Повесть временных лет»). Хотя последняя дата явно определяется по тому, когда на ростовскую кафедру взошел следующий епископ — Исайя (также впоследствии причисленный к лику святых, его мощи были обнаружены вместе с мощами Леонтия в 1162 году), поскольку Е. Голубинский согласен с Макарием в том, что Леонтий «отошел с миром», уточняя, что смерть его не была внезапной и насильственной, а значит, кафедра ростовская пустовала недолго.

Все же 1070-й как год смерти святого выглядит немного подозрительно в свете того, что упомянутая выше неудачная попытка убийства в единственном датированном случае (Ростовская летопись) упоминается под 1071 годом. То ли убить Леонтия пытались неоднократно... то ли чуда не случилось, и Симон писал Поликарпу сущую правду (возможно, ошибся немного с годом), то есть захотели язычники, подзуживаемые волхвами, убить Леонтия — и убили. С первого раза. И история о том, как он обратил к вере своей убийц своих — всего лишь вымысел. Уточню — это тоже лично мое допущение...

Однако, если вдуматься — а что успел сделать Леонтий за два десятилетия (или около того), что провел он в Ростове? Да, можно полагать, что он принял дела весьма запущенными — епископ Феодор (первый; вторым был единомышленник Андрея Боголюбского), успевший построить около 991 года Успенский собор, был вскоре изгнан и надолго обосновался в Суздале, присланный вслед за ним Илларион также пробыл в Ростове недолго. Феодор вернулся в Ростов лишь в 1010 году, то есть почти через двадцать лет, и, опираясь на поддержку князя Бориса, продержался здесь следующие пять лет — до трагической гибели князя, после чего снова был изгнан язычниками и больше не вернулся, оставаясь в Суздале до своей смерти в 1023 или 1024 году. То есть более тридцати лет в Ростове не было ни постоянного князя, ни епископа. И единственными представителями центральной власти были, наверное, только сборщики подати. То, что язычники не спалили собор и не перебили христиан, лично меня не удивляет — возможно, их верованиям претило бессмысленное и кровавое смертоубийство до победного конца, а малочисленная и остановившаяся в развитии христианская община не представлялась волхвам серьезной угрозой (любопытно сравнить, что было бы, поменяйся язычники и христиане местами...). Но я, собственно, о другом. По идее, появление Леонтия — образованного и энергичного — должно было нарушить складывавшееся годами равновесие. Возможно, так оно и было. Однако неизвестно, как скоро Леонтий вынужден был покинуть город, и как долго он жил в той церквушке у лесного ручья, и сколько лет прошло от его возвращения в Ростов до его смерти. Но нет нигде и сведений о том, что в Ростове и окрестностях строились при Леонтии новые храмы (помимо собственноручно сооруженной во время изгнания церкви архистратига Михаила — той самой, куда он заманивал подростков ради приобщения их к истинной вере), как и о том, насколько в действительности разрослась при нем община (даже с поправкой на неудавшихся его убийц, якобы после обратившихся к Христу). Даже будто бы написанное им для своего клира «Поучение и наказание...» скорее всего принадлежит перу митрополита киевского и всея Руси Кирилла III, жившего на двести лет позже — того самого Кирилла, который был рядом с Даниилом Галицким, пока тот не задумался о переходе в католичество (в надежде на помощь монархов Европы в борьбе с монголами), а потом присоединился к Александру Невскому (и сумел добиться от Батыя неприкосновенности православной церкви). Но чем же тогда заслужил Леонтий причисления к лику святых, кроме собственной праведной жизни? Что об этом говорит его житие, известное, к слову, в сотнях списков и добром десятке основных редакций?

Вот что говорит о житии святого Леонтия Ростовского В.О. Ключевский:

«...Обращаясь к фактическому содержанию собственно жизнеописания, нельзя не заметить в нем прежде всего неопределенности, показывающей, что оно черпало единственно из смутного предания, не основываясь на письменном источнике, на летописи или на чем-нибудь подобном. Первая редакция почти ничего не знает ни о прежней жизни ростовского просветителя, ни о времени его деятельности в Ростове, которую только по догадке, на основании других источников, относят к третьей четверти XI века. Даже о важнейшем факте жития, о действии христианской проповеди Леонтия в Ростове, редакция не дает ясного представления: она говорит об этом как об одном из преславных чудес Леонтия в Ростове и весь результат проповеди объясняет одним чудесным событием, как ростовцы, поднявшись с оружием на Леонтия, одни пали мертвыми, другие ослепли при виде епископа с клиром в полном облачении, как Леонтий поднял их, научил веровать в Христа и крестил. Эта неопределенность основного содержания перешла и в другие редакции жития. Заимствуя из летописи известия, не имеющие прямой связи с этим содержанием, они не могут связать последнее ни с одним достоверным событием, известным из других источников».

Иначе говоря, этот едва ли не ключевой момент жития, которому мы уделили столько внимания, упомянут с датой одной лишь Ростовской летописью (не пережившей монгольского нашествия, к тому же) и не соотнесен ни с одним другим событием. То есть датировать его более точно, чем «между 1051 и 1077 годом», не получится. Прискорбно. Причем первые две редакции (самая ранняя из которых появилась во второй половине XII века) по сравнению с последующими отличаются краткостью даже чрезмерной, зияя немалыми пробелами. С каждой новой редакцией житие обрастало все новыми деталями. Например, первая редакция ничего не говорит о периоде жизни Леонтия до прибытия в Ростов и отделывается общими фразами о его жизни там. Вот что об этом писал Ключевский: «...Неизвестный грек, о котором первая редакция знает только, что он родился и воспитывался в Царьграде, во второй он является сыном благоверных родителей и потом монахом, а в третьей и пятой рано изучает писание, рано покидает суету мирскую и строго подвизается в одном из цареградских монастырей, от чудесного голоса получает призвание просветить христианством далекий и упорный Ростов и по благословению самого патриарха Фотия отправляется туда во главе целой миссии; четвертая и некоторые списки третьей редакции умеют даже прибавить ко всему этому, что Леонтия начали учить грамоте на седьмом году, а шестая — что он «*книгам российским и греческим вельми хитрословен и сказатель от юности бысть*». Нетрудно видеть, что все это — наполовину общие места житий и наполовину черты легендарного характера. Еще легче выделяется в тексте жития вносимый в него третьей редакцией и повторяемый дальнейшим эпизод о том, как Леонтий, изгнанный из Ростова язычниками, поселяется невдалеке у потока Брутовщицы, ставит здесь маленькую церковь и кутьей заманивает детей к слушанию своих христианских поучений. Эпизод входит в первую редакцию механически, оставляя нетронутым ее текст, не сглаживая далее несообразностей, какие вносит он в рассказ».

Вот так. Неужели написатель первой редакции опасался показаться неполиткорректным? Вряд ли — тогда и слова-то такого не было. Но почему эпизод с изгнанием из Ростова появляется только в третьей (!) редакции (и при этом не отражен в летописях)? Неизвестно. Однако отнесение по ряду признаков этой редакции ко второй половине XV века наводит на некоторые размышления. Любопытно, что существует письменный источник, относящийся к примерно тому же периоду, что и первая редакция, однако ставящий под сомнение фактическое содержание жития. Речь идет о послании епископа владимирского Симона, адресованном Поликарпу-черноризцу (сей документ, датированный 1225 годом, здесь уже упоминался). Симон ставит Леонтия первым в списке русских иерархов, которые вышли из Киево-Печерского монастыря. Надо учесть, что Симон сам был монахом этого монастыря, поэтому мог быть уверен в своих словах. Кроме того, он опирался на старый «ростовский летописец», содержавший сведения не только о Леонтии, но и по меньшей мере о тридцати выходцах из Печерской обители, ставших епископами в разных уголках Руси от ее крещения до начала XIII века. Ключевский делает вполне логичный вывод, что источники Симона гораздо достовернее жития. При этом, как он пишет, «если известие и о Леонтии почерпнуто Симоном из цитируемого им старого ростовского летописца, то первая редакция жития не пользовалась этим, судя по названию, столь близким к ней источником: по крайней мере, его влияние не отразилось на ней ни одной чертой, а другие редакции решительно противоречат ему. Разобрав элементы сказания о происхождении и прибытии на Русь Леонтия, можно, кажется, обойтись и без примирения противоречивых известий, взятых из совершенно различных источников. Та подробность сказания, что патриарх Фотий является современником св. Владимира, падает сама собою, обличая свою связь с позднейшими историческими источниками, впадающими в ту же ошибку».

Фотий действительно никак не мог иметь отношения к судьбе Леонтия, поскольку умер почти за столетие до крещения Владимира Святославича, не говоря уже о рождении ростовского святителя.

Любопытным моментом в житии является проявление «местного патриотизма»: некоторые списки третьей редакции приписывают Ростову существование архиепископии (хотя в реальности это относилось к Новгороду). Более того, по житию выходит, что Ростов «просвещался» напрямую из Царьграда, без какого-либо участия митрополита Киевского и всея Руси, который в житии даже не упомянут. Что выглядит немного странно, ведь именно митрополит и ставил епископов, и вообще руководил распространением христианства. Расшифровывая эту «странность», Ключевский писал: «Непосредственные сношения Ростова с Константинополем — черта, заметная и в другом ростовском сказании, отличающемся столь же сильной легендарностью, в житии преподобного Авраамия. При мутности источников, из которых черпали оба жития, здесь, без сомнения, имела свою долю влияния память о первых двух епископах Ростова, прибывших из Царьграда и посвященных патриархом. Но объяснению этой черты в житии Леонтия, кажется, может помочь еще одно обстоятельство, обыкновенно забываемое при этом. Возобновление памяти о Леонтии в Ростове, вызванное обретением его мощей, совпало по времени с одним движени-

ем в ростовской епархии, начатым Андреем Боголюбским с помощью Феодора, впоследствии
ростовского епископа: оба они хлопотали отде-
лить ростовскую кафедру от киевской митрополии и, переместив ее во Владимир, сделать из
нее вторую митрополию в России. Сам Феодор
принял епископский сан прямо от патриарха в
Константинополе, на пути в Ростов не заехал
в Киев к митрополиту за благословением и,
заняв кафедру, придавал особенное значение
своей непосредственной зависимости от патриарха. «Не митрополит мя поставил, — говорил
он, — но патриарх во Цареграде; да убо от кого
ми другого поставлениа и благословениа иска-
ти?» В его именно епископство отстроен был
каменный Ростовский собор и совершено первое перенесение мощей святого Леонтия (1170),
после чего вскоре составлено было и первое
сказание о нем; под влиянием феодоровских
взглядов могла составиться или развиться основа предания о ростовском просветителе, с большей или меньшей полнотой входившего во все
редакции жития. Невозможно решить, в каком
виде занесено было это предание, столь соглас-
ное с стремлениями Феодора, в начальное сказание, составленное при князе Андрее, но мы
знаем, что это последнее подверглось новой
обработке несколько десятилетий спустя, при
епископе Иоанне, когда были причины уничто-

жить следы стремлений Феодора, возбудившего ими сильное негодование в высшем духовенстве и оставившего по себе черную память...»

Вот так — восславление Леонтия и Исайи по сути было запущено ради обоснования претензий Суздальской земли на собственную, независимую от Киева метрополию. Однако «обработка» жития не затронула эпизода с якобы греческим происхождением Леонтия. В связи с чем уместно вспомнить епископа Ефрема, современника ростовского святителя, которого после его пребывания в одном из византийских монастырей и по традиции первых лет после крещения Руси (когда на верховных постах в церковной иерархии оказывались византийцы) считали греком.

В.О. Ключевский, в отличие от митрополита Макария и Е.Е. Голубинского, поддерживал версию о мученической кончине ростовского святителя, ссылаясь на то, что «Симон не имел побуждения, понятного в ростовском источнике, смягчать рассказ о судьбе Леонтия». Впрочем, гораздо существеннее выглядит его вывод о том, что «местная память в XIII веке и после вообще преувеличивала просветительные успехи Леонтия». В целом оценка жития как исторического источника, с точки зрения Ключевского, крайне невысока: «В древнейших уцелевших источниках нашей истории до Андрея Боголюбского не сохранилось письменных следов памяти о св. Леонтии. Она, по-видимому, впервые стала возобновляться и слагаться в сказание со времени обретения мощей, то есть почти сто лет спустя по смерти святого».

То есть житие опирается на современные ему (по крайней мере, первой его редакции) материальные следы пребывания Леонтия на Ростовской земле (например, загородный храм архангела Михаила) и местное смутное видение Константинополя как прямого источника изначальной христианской проповеди в Ростове, укрепляемое изрядной удаленностью от Киева и местными устремлениями к государственной и церковной самостоятельности времен княжения Андрея Боголюбского. Однако эти источники способны сообщить житию лишь дополнительную неопределенность — занесенные в текст выдержки из летописей не имеют отношения к самому Леонтию и не всегда верны. Достоверно подана лишь часть, повествующая о посмертном церковном прославлении святого. Ключевского такая невнятица подвела к выводу, что «достоверные известия о Леонтие были утрачены в ростовской письменности уже к концу XII века, растворившись в смутном предании и оставив слабые следы на юге, в Киево-Печерском монастыре, откуда и вынес их епископ Симон». Однако это лишь предположение ученого, а не достоверный факт.

Итак, вполне доказанным может считаться лишь то, что Леонтий был епископом ростовским в названный период — не позднее 1051-го он прибыл в город и не позднее 1077 года оставил этот мир. И жил, надо думать, праведно. Ни один из прочих сообщаемых житием и летописями эпизодов его биографии не обладает достаточной подтвержденностью и подробным непротиворечивым описанием. То есть ни чудо обращения язычников к вере Христовой после неудавшегося (или удавшегося) убийства, ни мирная, равно как и мученическая кончина (несомненно, он все-таки умер — так или иначе), ни посмертные чудеса, связанные уже с мощами святого Леонтия, не выглядят — при такой достоверности-то — основанием для канонизации. Понять Андрея Боголюбского и его верного соратника Феодора можно — других (более подходящих) кандидатов в сугубо местные святые, видимо, не было. Однако тот же Исайя, его преемник, канонизированный вместе с Леонтием, строил храмы и разрушал языческие капища, и действительно способствовал заметному распространению христианства. То есть сделал куда больше — при том, что был епископом Ростовским едва ли не вдвое меньший срок (примерно с 1077 по 1090 год, то есть 13 лет — против 20–30 у Леонтия).

Впрочем, Леонтий — далеко не единственный подобный случай. По крайней мере, он существовал в реальности...

Андрей Боголюбский, великий князь Владимирский

Андрей Юрьевич, прозванный Боголюбским, князь Вышгородский, Дорогобужский, Рязанский, великий князь Владимирский, причисленный к лику святых Русской православной церковью, оставил заметный след в «домонгольском» периоде русской истории.

У князя Андрея были знаменитые предки. Он приходился сыном Юрию Долгорукому, дедом же его был сам Владимир Мономах. Прозвание «Боголюбский» князь получил еще в юности — за вдумчивое знание многих молитв, прилежание в богослужебных делах и великую духовную устремленность. Говорили, что от деда своего князь Андрей унаследовал любовь к слову божию и склонность искать поддержку в Писании в самых разных обстоятельствах своей жизни. При этом Андрей не бежал мирских дел, был достойным сыном своего отца, показал себя храбрым воином, участвуя во многих военных походах своего отца и зачастую оказываясь в самой гуще сражений. Порой только божье заступничество спасало князя от неминуемой смерти. Однако Андрей Юрьевич показал себя не только полководцем, но и миротворцем — нечастое явление в те воинственные времена. В нем сочетались воинская доблесть и милосердие, рачительность хозяина и великое смирение. Вместе с отцом он строил Москву и другие города, украсил новыми храмами Ростов, Суздаль, Владимир... Годы спустя он мог сказать, исполненный удовлетворения, что «белую Русь городами и селами застроил и многолюдною сделал». Белой Русью тогда называли Суздальскую землю — это потом монгольское нашествие передвинуло сей топоним далеко на запад.

В 1154 году отец Андрея, князь Ростовский и Суздальский Юрий Долгорукий стал великим князем Киевским. Раздавая сыновьям уделы, он отдал Андрею Вышгород (к северу от Киева), в котором тот уже княжил однажды (за пять лет до того), но не долго. Не было суждено Андрею задержаться там и в этот раз. Сохранялась в храме женского монастыря в Вышгороде чудотворная икона Богородицы, привезенная из Царьграда и писанная самим евангелистом Лукой. Н.И. Костомаров писал: «Рассказывали о ней чудеса, говорили, между прочим, что, будучи поставлена у стены, она ночью сама отходила от стены и становилась посреди церкви, показывая как будто вид, что желает уйти в другое место». Андрей Юрьевич, узнав об этом чуде, однажды летней ночью 1155 года, с помощью священника и диакона этого монастыря, вынес икону из храма и в ту же ночь, с иконой в руках, двинулся из Вышгорода на север, в Ростов. Князь намеревался эту икону, как писал Костомаров, «перенести в суздальскую землю, даровать таким образом этой земле святыню, уважаемую на Руси, и тем показать, что над этою землею почиет особое благословение Божие». Князь сделал это тайно, без отчего благословения и согласия вышгородцев, «повинуясь лишь воле Божией». И на всем пути от Вышгорода икона являла ему и его спутникам свою чудотворную силу, описанную впоследствии в «Сказании о чудесах Владимирской иконы Божией Матери».

Ночью, в десяти верстах от Владимира, кони вдруг сами остановились, а князю во сне явилась Богородица и приказала ему: «не хочу, чтобы образ Мой несли в Ростов, но во Владимире поставь его, а на сем месте во имя Моего Рождества церковь каменную воздвигни». В память об этом чуде Андрей повелел иконописцам написать икону Божией Матери такой, как Пречистая явилась ему. Икона, названная Боголюбской, прославилась впоследствии многочисленными чудотворениями. На указанном Богородицей месте князь Андрей построил храм Рождества Богородицы (в 1159 году) и заложил город Боголюбов, ставший местом его постоянного пребывания и местом же мученической кончины.

Когда в 1157 году умер его отец, Юрий Долгорукий, князь Андрей принял на себя титул князя Ростовского и Суздальского, но остался во Владимире, сохранив за собой и владимирское княжение.

В 1158—1160 годах был построен Успенский собор во Владимире, в который помещена Владимирская икона Божией Матери и который был признан лучшим из построенных князем Андреем, а всего тридцать храмов было создано им за годы его княжения. Богатство и благолепие храмов должно было, по замыслу князя, служить распространению православия среди окружающих народов и иноземных купцов. Он приказал всех приезжих, и латинян, и язычников, водить в воздвигнутые им церкви и соборы и показывать им «истинное христианство».

Оставаясь во всем верным сыном православной Церкви, блюстителем веры и канонов, Андрей Боголюбский в 1160 году обратился к константинопольскому патриарху Луке Хризовергу с просьбой об учреждении особой митрополии для подвластных ему княжеств Северо-Восточной Руси. С посланием князя в Византию отправился кандидат в митрополиты — суздальский архимандрит Феодор. Патриарх согласился посвятить Феодора, однако лишь в сан епископа Ростовского. В то же время, стремясь сохранить расположение князя Андрея, едва ли не самого могущественного среди русских князей, патриарх все же почтил Феодора правом ношения белого клобука, что было в Древней Руси отличительным признаком церковной автономии — известно, как дорожили своим белым клобуком архиепископы Великого Новгорода.

Волжская Болгария со времен походов Святослава представляла серьезную опасность для русских земель. Ходил на болгар и Юрий Долгорукий в 1120 году. Князь Андрей стал продолжателем дела Святослава и своего отца. В 1164 году войска Владимирского княжества вышли в поход на болгар, сожгли и разрушили несколько болгарских крепостей на Волге. Князь Андрей брал с собой в этот поход Владимирскую икону Божией Матери, явившую после окончательного разгрома болгар чудо — ослепительный свет, исходивший от лика Богородицы.

В 1167 году умер киевский князь Ростислав, двоюродный брат Андрея, умевший вносить умиротворение в сложную политическую и церковную жизнь того времени. Тогда же в Киев из

Константинополя прибыл новый митрополит, Константин II, который потребовал, чтобы епископ Феодор явился к нему для утверждения. Князь Андрей вновь обратился к патриарху за подтверждением самостоятельности Владимирской епархии и с просьбой о создании митрополии. Лука Хризоверг ответил категорическим отказом в устроении митрополии, потребовав принять изгнанного епископа Леона и подчиниться киевскому митрополиту. Будучи верным сыном церкви, князь Андрей подчинился желанию патриарха и, исполняя долг церковного послушания, убедил епископа Феодора поехать в Киев с покаянием для восстановления канонических отношений с митрополией. Но покаяние епископа Феодора не было принято — митрополит Константин, в соответствии с византийскими нравами, без соборного разбирательства осудил его на зверское умерщвление: епископу отрезали язык, отрубили правую руку, выкололи глаза и лишь после этого лишили жизни.

Однако не только церковные, но и политические дела Южной Руси потребовали к этому времени решительного вмешательства великого князя Владимирского — в нарушение старшинства киевский престол силой занял волынский князь Мстислав Изяславич, изгнав из Киева своего дядю Владимира Мстиславича и попутно посадив в Новгороде своего сына. Это не понравилось многим русским князьям, уважавшим традиции, и 8 марта 1169 года войска союзных князей во главе с сыном Андрея Боголюбского Мстиславом овладели Киевом. Город был разгромлен и сожжен, участвовавшие в походе половцы не пощадили и церковных сокровищ. Летописцы расценивали случившееся с киевлянами как заслуженное возмездие: «се же здеяся за грехи их, паче же за митрополичью неправду». Киевским князем стал младший брат Андрея — Глеб. В том же 1169 году князь Андрей двинул войска на непокорный Новгород, но они были отброшены чудом Новгородской иконы Божией Матери Знамения, которую вынес на городскую стену архиепископ Иоанн. Город не был взят. Но когда великий князь сменил гнев на милость и миром привлек к себе новгородцев, Новгород принял князя, поставленного Андреем.

К концу 1170 года Андрей Боголюбский объединил под своей властью большую часть Русской земли. Потом были и новый поход на болгар, успешный, но лишивший Андрея сына Мстислава, погибшего в сражении, и новая борьба князей за киевский престол, и новый поход войск Андрея на Киев, который окончился поражением.

...В ночь с 29 на 30 июня 1174 года святой

князь Андрей Боголюбский принял мучениче-
скую смерть от руки изменников в своем Боголюбове. Во главе заговора стояли бояре Кучковичи, родные братья жены князя (что позволило
некоторым летописям обвинять ее в подстрека-
тельстве к убийству): «и свещаша убийство на
ночь, якоже Иуда на Господа». Группа убийц
пробралась к дворцу, перебила малочисленную
охрану и вломилась в опочивальню безоружно-
го князя, когда тот отказался им открыть, не
узнав по голосу своего слугу, именем которого
представился один из заговорщиков. Меч святого Бориса, постоянно висевший над его постелью, был предательски похищен в ту ночь
ключником Амбалом. Князь успел сбить с ног
первого из нападавших, которого сообщники
тут же по ошибке пронзили мечами. Но вскоре
они поняли свою ошибку и, увидев князя, при-
нялись сечь его мечами и саблями и колоть ко-
пьями. Князь, несмотря на возраст, все еще был
хорошим бойцом и принялся отбиваться, но
нападавших было слишком много. Очень скоро
он, израненный, упал, обливаясь кровью. Заго-
ворщики, сочтя свое черное дело сделанным,
опрометью бросились вон из опочивальни,
захватив тело убитого сообщника. Но Андрей
Юрьевич еще был жив. Не успевшие отойти далеко убийцы услышали его стоны и призывы о
помощи. Они вернулись, понимая, что с ними

будет, если князь останется жив, и по кровавым следам нашли Андрея. И довершили начатое...

Русская Церковь помнит и чтит своих мучеников и созидателей. Андрею Боголюбскому принадлежит в ней особое место. Взяв в руки чудотворный образ Владимирской Божией Матери, святой князь как бы благословил им отныне и до века главнейшие события русской истории. В 1300 году митрополит Максим перенес Всероссийскую митрополичью кафедру из Киева во Владимир, сделав Успенский собор, где покоились мощи святого Андрея, первопрестольным кафедральным храмом Русской Церкви, а Владимирскую чудотворную икону — ее главной святыней. В 1395 году Владимирская икона Божией Матери была перенесена в Москву, что, по мнению всех верующих, избавило столицу от нашествия Тамерлана и не раз избавляло от прочих незваных гостей. Позже перед Владимирской иконой совершалось избрание митрополитов и патриархов Русской Церкви, в том числе и утверждение в 1448 году Собором русских епископов первого русского автокефального митрополита — святителя Ионы, и избрание 5 ноября 1917 года патриарха Тихона — первого после восстановления патриаршества в Русской Церкви.

Литургическая же деятельность святого Андрея была многогранна и плодотворна. В 1162 году князь Андрей положил начало почитанию ростовских святителей Исайи и Леонтия. В тот же год по его же почину в память о крещении Руси святым равноапостольным Владимиром было установлено празднование 1 августа Всемилостивому Спасу и Пресвятой Богородице (почитаемый ныне всем русским народом «медовый Спас»). Благодаря Андрею Боголюбскому был учрежден и праздник Покрова Божией Матери, отмечаемый 1 октября, который воплотил в литургических формах веру святого князя и всего православного народа в принятие Богородицей Святой Руси под свою защиту. Покров Божией Матери стал одним из любимейших русских церковных праздников. Покров — русский национальный праздник, не известный ни латинскому Западу, ни греческому Востоку. Первым храмом, посвященным новому празднику, была церковь Покрова на Нерли — замечательный памятник русского церковного зодчества, воздвигнутый в 1165 году в пойме реки Нерли так, чтобы князь всегда мог видеть его из окон своего боголюбовского терема.

Святой Андрей принимал непосредственное участие в литературном труде владимирских церковных писателей. Он причастен к созданию Службы Покрову, проложного сказания об установлении праздника Покрова, «Слова на Покров». Ко времени Андрея относится и окончательная редакция «Сказания о Борисе и Глебе» — князь почитал святого мученика Бориса, главной домашней святыней его была шапка святого Бориса. Меч святого Бориса всегда висел над его постелью. Им самим написано «Сказание о победе над болгарами и установлении праздника Спаса», которое в некоторых старинных рукописях так и называется: «Слово о милости Божией великого князя Андрея Боголюбского». Участие Боголюбского заметно и в составлении Владимирского летописного свода 1177 года, завершенного уже после смерти князя его духовником, попом Микулой, который включил в него особую «Повесть о убиении святого Андрея». Официально Андрей Боголюбский был канонизирован в 1702 году в лике благоверного.

Так или примерно так (отличаясь разве что не слишком существенными деталями) выглядит биография святого Андрея в изложении историографов Русской православной церкви. Однако все ли было именно так?

Андрей Юрьевич действительно с детства демонстрировал усердие в молитвах и богослужебных делах и активно участвовал во многих делах своего отца, в том числе и строительстве городов.

Точная дата рождения Андрея Боголюбского неизвестна. Согласно В.Н. Татищеву, ссылавшемуся на неназванный (и, скорее всего, давно не существующий — если когда-либо существовавший) источник, он родился в 1110 либо 1111 году. Однако есть основания сомневаться в такой датировке, хотя она и считается общепризнанной. Отец его, Юрий Долгорукий, как и большинство его братьев (и все сестры), также в силу недосмотра летописцев остался без точной даты рождения, нет точных сведений и о том, кто его мать (точнее, которая из трех жен Мономаха) — единственное, что о ней достоверно известно, так это то, что умерла она в мае 1107 года, поскольку об этом говорится в «Поучении Владимира Мономаха». Тот же Татищев утверждал, что князь Юрий родился в 1090 году. Известно также, что младший брат Юрия Андрей родился в августе 1102 года. Исходя из этого, можно сделать вывод, что Юрий Долгорукий родился не ранее 1090 (если согласиться с Татищевым) и не позднее 1101 года (если принять, что Андрей Владимирович действительно был младше Юрия, а также возможный сбой при пересчете дат). Гадать можно долго (вопрос не решен до сих пор), но известно, что в 1108 году Юрий женился в первый раз — на дочери половецкого хана (впрочем, это не означает, что он был совершеннолетним). Соответственно, Андрей Юрьевич, будучи вторым по старшинству сыном Долгорукого (и учитывая, что Юрий должен был достигнуть к этому моменту хотя бы 16–17 лет), скорее всего, мог родиться между 1110 (по Татищеву) и 1118 годом. Ранее уже упоминалось, как летописцы «состарили» Ярослава Мудрого, чтобы сделать его старше Святополка Окаянного и оправдать его притязания на киевский престол. Вполне возможно, что Андрей Боголюбский действительно родился позже общепринятой даты.

Долгое вступление с перечислением дат, по большому счету, мало что меняет — просто делает более правдоподобным брак Андрея с Улитой, дочерью казненного Долгоруким боярина Степана Кучко. Согласитесь, даже 30-летний (если родился в 1118 году или даже немного позже) неженатый князь по тем временам выглядел немного странно, а тем более если ему под сорок (если родился в 1110-м или раньше — свадьба ведь состоялась в 1148 году). По всей видимости, детство и юность Андрея прошли по большей части во Владимире — это вполне достойное обоснование тому, что именно Владимир он сделал впоследствии своей столицей. Но на тот момент это был лишь периферийный город Ростово-Суздальской земли. Лишь в 1146 году князь Андрей упоминается в летописях в связи с изгнанием из Рязани им и его старшим братом Ростиславом Юрьевичем князя Ростислава Ярославича. Судя по всему, с этого начинается военная карьера молодого князя в русских междоусобицах. В 1149 году, когда Юрий Долгорукий занял Киев, Андрей получил от отца в удел Вышгород, затем участвовал в походе на Волынь против Изяслава Мстиславича, изгнанного из Киева (это его союзником был упомянутый выше Ростислав Ярославич), отличился при штурме Луцка, где едва не погиб. Орденов тогда не раздавали, поэтому Андрей получил в удел Дорогобуж — но и здесь он не задержался: в 1151 году Изяслав собрал силы, вернулся и сумел отбить Киев. В 1153 году Юрий Долгорукий отправил его в Рязань, но вскоре вернувшийся из половецких степей с немалым войском Ростислав Ярославич вынудил его покинуть город. В 1154 году умер Изяслав. И Долгорукий, снова заняв престол в Киеве, отправил Андрея в уже знакомый ему Вышгород.

Именно там — года не прошло — и приключилась история с чудотворной иконой Богоматери, ныне Владимирской...

Вот как описывает события той ночи Костомаров: «Подговоривши священника женского монастыря Николая и диякона Нестора, Андрей ночью унес чудотворную икону из монастыря и вместе с княгинею и соумышленниками тотчас после того убежал в суздальскую землю...» Церковные источники обычно пишут, что целью беглецов был Ростов, однако уже Юрий Долгорукий фактически отодвинул Ростов на второй план — его фактической столицей был Суздаль, Андрей же намеревался, как писал далее Костомаров, «поднять город Владимир выше старейших городов Суздаля и Ростова, но он хранил эту мысль до поры до времени в тайне, а потому проехал Владимир с иконою мимо и не оставил ее там, где, по его плану, ей впоследствии быть надлежало. Но не хотел Андрей везти ее ни в Суздаль, ни в Ростов, потому что, по его расчету, этим городам не следовало давать первенства. За десять верст от Владимира по пути в Суздаль произошло чудо: кони под иконою вдруг стали; запрягают других посильнее, и те не могут сдвинуть воза с места. Князь остановился; раскинули шатер. Князь заснул, а поутру объявил, что ему являлась во сне Божия Матерь с хартиею в руке, приказала не везти ее икону в Ростов, а поставить во Владимире; на том же месте, где произошло видение, соорудить каменную церковь во имя Рождества Богородицы и основать при ней монастырь. В память такого видения написана была икона, изображавшая Божию Матерь в том виде, как она явилась Андрею с хартией в руке. Тогда на месте видения заложено было село, называемое Боголюбовым. Андрей состроил там богатую каменную церковь; ее утварь и иконы украшены были драгоценными камнями и финифтью, столпы и двери блистали позолотою. Там поставил он временно икону Св. Марии... Заложенное им село Боголюбово сделалось его любимым местопребыванием и усвоило ему в истории прозвище Боголюбского...» Вот так, всего лишь по своей резиденции назван был Андрей Боголюбским, а вовсе не за свою исключительную набожность, как думают многие — причем не только верующие. Судя по всему, те два года, что прошли после ухода Андрея из Вышгорода и до явно преждевременной смерти Долгорукого, Боголюбский потратил не зря — хотя отец его завещал Ростов и Суздаль своим младшим сыновьям, вече в этих городах избрало князем Андрея. Тем не менее от плана своего он не отступил и, как пишет далее Костомаров, «не поехал ни в Суздаль, ни в Ростов, а основал свою столицу во Владимире, построил там великолепную церковь Успения Богородицы... В этом храме поставил он похищенную из Вышгорода икону, которая с тех пор начала носить имя Владимирской...» Почему же похищенная святыня оказалась все-таки во Владимире-на-Клязьме? Тот же Костомаров довольно точно описывает сложившуюся на Руси в середине XII века ситуацию, способствовавшую такому выбору Боголюбского: «До сих пор в сознании русских для князей существовало два права — происхождения и избрания, но оба эти права перепутались и разрушились, особенно в южной Руси. Князья, мимо всякого старейшинства по рождению, добивались княжеских столов, а избрание перестало быть единодушным выбором всей земли и зависело от военной толпы — от дружин, так что, в сущности, удерживалось еще только одно право — право быть князьями на Руси лицам из Рюрикова дома; но какому князю где княжить, — для того уже не существовало никакого другого права, кроме силы и удачи...»

Однако Боголюбского возвращение старых традиций не интересовало, хотя он умело использовал народные грезы о славном прошлом. И те же вечевые сходы он намеревался терпеть до поры до времени. У Костомарова находим и объяснение, почему занялся формированием нового центра: «...Андрей имел в виду то, что в старых городах были старые предания и привычки, которые ограничивали власть князя. Ростовцы и суздальцы избрали Андрея на вече. Они считали власть князя ниже своей вечевой власти; живя в Ростове или Суздале, Андрей мог иметь постоянные пререкания и должен был подлаживаться к горожанам, которые гордились своим старейшинством. Напротив, во Владимире, который ему обязан был своим возвышением, своим новым старейшинством над землею, воля народная должна была идти об руку с волею князя...» И Боголюбский всячески поощрял подобные настроения. Понимая роль церкви и силу веры, немалое внимание он уделял строительству новых храмов и привлечению духовенства на свою сторону, а также поддержанию своего образа самого набожного и благочестивого князя. Костомаров писал об этом так:

«...Его всегда можно было видеть в храме на молитве, со слезами умиления на глазах, с громкими воздыханиями. Хотя его княжеские тиуны и даже покровительствуемые им духовные позволяли себе грабительства и бесчинства, но Андрей всенародно раздавал милостыню убогим, кормил чернецов и черниц и за то слышал похвалы своему христианскому милосердию...»

Вот так... Уж не с этих ли пор началось на Руси поверье, что это, мол, бояре, чиновники только воруют и притесняют народ, а царь, мол, ничего не знает, обманывают его? Кстати о «покровительствуемых им духовных». Выше уже упоминался епископ Феодор, которого Андрей Боголюбский весьма желал видеть митрополитом и чья кончина была весьма печальной. В 1160 году, когда Андрей впервые обратился к патриарху с просьбой о митрополии, еще был жив и формально даже не смещен со своего поста епископ ростовский Нестор, не поладивший с Боголюбским и оттого вынужденный бежать в Константинополь. Лишь несколько лет спустя (видимо, после смерти Нестора) патриарх Лука Хризоверг согласился принять Феодора, утвердил его в чине епископа ростовского и суздальского, разрешив при этом жить во Владимире. Таким образом, хотя Владимир и не сравнялся с Киевом в сфере духовной власти, но хотя бы стал выше Ростова и Суздаля. Однако почему жизнь Феодора завершилась вскоре — после прибытия в Киев нового митрополита — столь печально? И снова ответ находится в строках, написанных Костомаровым, этим видным историком русского православия, признанным самой Церковью:

«Любимец Андрея Феодор до того возгордился, что подобно своему князю, ни во что ставившему Киев, не хотел знать киевского митрополита: не поехал к нему за благословением и считал для себя достаточным поставление в епископы от патриарха. Так как это было нарушение давнего порядка на Руси, то владимирское духовенство не хотело ему повиноваться: народ волновался. Феодор затворил церкви и запретил богослужение. Если верить летописям, то Феодор по этому поводу, принуждая повиноваться своей верховной власти, позволял себе ужасные варварства: мучил непокорных игуменов, монахов, священников и простых людей, рвал им бороды, рубил головы, выжигал глаза, резал языки, отбирая имения у своих жертв. Хотя летописец и говорит, что он поступал таким образом, не слушая Андрея, посылавшего его ставиться в Киев, но трудно допустить, чтобы все это могло происходить под властью такого властолюбивого князя против его воли. Если подобные варварства не плод преувеличения, то они могли совершаться только с ведома Андрея, или, по крайней мере, Андрей смотрел сквозь пальцы на проделки своего любимца и пожертвовал им только тогда, когда увидел, что народное волнение возрастает и может иметь опасные последствия. Как бы то ни было, Андрей наконец отправил Феодора к киевскому митрополиту...»

Дальнейшее нам уже известно. Видимо, митрополит Константин не считал доходившие до него из Владимира вести преувеличением, раз наказание Феодору было таким жестоким.

Однако вовсе не желание отомстить за Феодора подвигло Андрея Боголюбского на поход на Киев весной 1169 года. Но сначала вернемся немного назад. Выше уже говорилось, что Андрей стал князем вопреки распоряжению Юрия Долгорукого, предполагавшего, что в Ростове и Суздале будут княжить его младшие сыновья, как говорит Костомаров, «был посажен на княжение всею землею, в ущерб правам меньших братьев». Делиться властью Андрей не хотел. К моменту его признания властителем всей Северо-Восточной Руси из его братьев по отцу и матери Ростислав и Иван уже умерли, Глебу удалось удержаться в Переяславле и даже обособиться от Киева, изгнанному из Турова Борису Андрей единственному предоставил незначительный удел вблизи Владимира, где тот вскоре и умер, не оставив наследников. Что касается младших сводных братьев (детей от второго брака Долгорукого), Боголюбский разом пресек саму возможность усобицы с их стороны — в 1161 или 1162 году (здесь, как и во многих других случаях, историки расходятся) Мстислав, Василько и малолетний Всеволод, а также их мать были отправлены в Константинополь, где нашли убежище при дворе императора Мануила, Ярослав и Михалко тоже были высланы за пределы княжества, но уехали не так далеко. Назад потом вернулись только Михалко и Всеволод. Впрочем, о них немного позже.

Избавившийся от потенциально опасных родственников, Боголюбский еще меньше церемонился с подданными попроще. Как пишет Костомаров, «Андрей выгонял также и бояр, которых не считал себе достаточно преданными. Такие меры сосредоточивали в его руках единую власть над всею ростовско-суздальскою землею и через то самое давали этой земле значение самой сильнейшей земли между русскими землями, тем более что, будучи избавлена от междоусобий, она была в то время спокойна от всякого внешнего вторжения». Говоря об этом «спокойствии», Костомаров оговаривался, что «с другой стороны, эти же меры увеличивали число врагов Андрея, готовых, при случае, погубить его всеми возможными средствами». И это было чистой правдой — выражаясь языком физики, критическая масса лишь нарастала. Об истинных же целях Боголюбского Костомаров писал без обиняков:

«Забравши в свои руки власть в ростовско-суздальской земле, Андрей ловко пользовался всеми обстоятельствами, чтобы показывать свое первенство во всей Руси; вмешиваясь в междоусобия, происходившие в других русских землях, он хотел разрешать их по своему произволу. Главною и постоянною целью его деятельности было унизить значение Киева, лишить древнего старейшинства над русскими городами, перенеся это старейшинство на Владимир, а вместе с тем подчинить себе вольный и богатый Новгород. Он добивался того, чтобы, по своему желанию, отдавать эти два важнейших города с их землями в княжение тем из князей, которых он захочет посадить и которые, в благодарность за то, будут признавать его старейшинство...»

По большому счету, Боголюбскому было все

равно, кто будет княжить в Киеве и Новгороде — главное, чтобы это были его ставленники. Пропустим длинный перечень усобиц, кипевших на соседних с его владениями землях — он займет немало страниц даже в простом перечислении имен, дат и названий. Боголюбский не гнушался заключить союз со вчерашними врагами, чтобы низвергнуть того, кто не люб ему сегодня. Причем мог помочь вернуться на удел тому, чьего изгнания добивался прежде. Когда умер княживший в Киеве Ростислав, сумевший поладить с Боголюбским, на его место был избран Мстислав Изяславич — сын того самого Изяслава Мстиславича, который сумел вернуть себе Киев, отбив его у Долгорукого (и лишь смерть Изяслава позволила Юрию добиться своей цели). Андрей ненавидел Мстислава, да и тот «был не из таких, чтобы угождать кому бы то ни было, кто бы вздумал показать над ним власть». Сыграв на противоречиях между князьями, Боголюбский сумел собрать войска 11 князей. В марте 1169 года объединенные силы подошли к Киеву. После двухдневной осады Киев сдался, князь Мстислав бежал. Город был, как писал Костомаров, опираясь на доступные ему источники, «весь разграблен и сожжен в продолжение двух дней. Не было пощады ни старым, ни малым, ни полу, ни возрасту, ни церквам, ни монастырям. Зажгли даже Печерский монастырь. Вывезли из Киева не только частное имущество, но иконы, ризы и колокола. Такое свирепство делается понятным, когда мы вспомним, как за двенадцать лет перед тем киевляне перебили у себя всех суздальцев после смерти Юрия Долгорукого; конечно, между суздальцами были люди, мстившие теперь за своих родственников; что же касается до черниговцев, то у них уже была давняя вражда к Киеву, возраставшая от долгой вражды между Мономаховичами и Ольговичами... Андрей достиг своей цели. Древний Киев потерял свое вековое старейшинство. Некогда город богатый, заслуживавший от посещавших его иностранцев название второго Константинополя, он уже и прежде постоянно утрачивал свой блеск от междоусобий, а теперь был ограблен, сожжен, лишен значительного числа жителей, перебитых или отведенных в неволю, поруган и посрамлен от других русских земель, которые как будто мстили ему за прежнее господство над ними. Андрей посадил в нем своего покорного брата Глеба, с намерением и наперед сажать там такого князя, какого ему будет угодно дать Киеву».

Спустя год Мстислав сумел собрать силы и вернуться — горожане открыли ему ворота без боя. Глеб бежал. Но через месяц он вернулся и привел половцев — и Мстислав, брошенный вчерашними союзниками, покинул Киев, на этот раз навсегда — спустя несколько месяцев он умер на Волыни. Впрочем, Глеб Юрьевич пережил его всего на год.

Но тогда, в марте 1169 года, от Киева войско Боголюбского и его союзников двинулось к Новгороду — это был удобный момент, чтобы подмять богатый и свободолюбивый город. То, что там княжил сын Мстислава Изяславича Роман, было лишь дополнительным поводом. Однако поход окончился полным провалом — едва насчитывавшее 400 человек новгородское ополчение разбило 7-тысячное войско Боголюбского. Пленных было так много, что новгородцы продавали суздальцев «втрое дешевле овец», как писал В.О. Ключевский. Любопытно, что икона Богоматери, позже названная Знаменской и с помощью которой якобы отогнал войско будущего святого Андрея новгородский архиепископ Иоанн, тоже впоследствии признанный святым, во времена Костомарова и Ключевского относилась к числу самых почитаемых в России икон Божьей Матери.

Впрочем, не прошло и года, как новгородцы отправили из города Романа Мстиславича и сами обратились к Андрею с просьбой прислать им нового князя. Причина того была вовсе не в том, что Боголюбский смирил свою гордыню и обратился к ним словом, а не мечом. Причина была куда проще — Новгород, выражаясь современным языком, находился в «зоне рискованного земледелия» и, как следствие, сильно зависел от импорта зерна из суздальской земли. И прекращение поставок довольно быстро ставило город на грань голода. В итоге стороны пришли к некоторому консенсусу — новгородцы принимали лишь князей, посланных Андреем, но оставляли за собой право отправить любого ставленника Боголюбского восвояси так же, как изгоняли прежде других князей, ставших неугодными. Так, сначала к ним прибыл Рюрик Ростиславич, а в 1172 году его сменил младший сын Андрея Юрий — тот самый будущий муж грузинской царицы Тамар, о котором шла речь в самом начале этой книги.

Тем временем умер Глеб Юрьевич, и киевский престол снова освободился, что снова означало начало усобиц. Дорогобужский князь Владимир, брат умершего в 1167 году Ростислава и в прошлом союзник Андрея, при поддержке своих племянников занял Киев. Однако Боголюбский не потерпел «самовыдвиженца» и потребовал, чтобы он покинул престол. А чтобы Ростиславичи не возражали, он напомнил им, что они назвали его своим отцом, и отдал Киев самому кроткому из них — Роману. Однако не успел тот обжиться на новом месте, как князь Андрей задумал посадить в Киеве своего брата Михалку Юрьевича, которого в 1168 году выкупил из плена и даже дал в удел Торческ. Но для этого требовался хотя бы формальный повод. И он нашелся — Боголюбский потребовал от Ростиславичей выдачи троих киевских бояр, якобы отравивших князя Глеба. Ростиславичи отказались выдать обвиняемых, полагая, что эти люди невиновны и требование о выдаче лишь повод придраться. Предположение оказалось верным — вскоре они получили следующее послание из Владимира:

«Если не живете по моей воле, то ты, Рюрик, ступай вон из Киева, а ты, Давид, ступай из Вышегорода, а ты, Мстислав, из Белагорода. Остается вам Смоленск, там себе делитесь, как знаете».

Роман Ростиславич предпочел подчиниться и уехал в Смоленск. Михалко не спешил выполнить волю Андрея и остался в Торческе, отправив в Киев вернувшегося из Византии брата Всеволода с племянником Ярополком (сыном старшего из Юрьевичей — Ростислава). Ростиславичи, узнав об изгнании Романа, отправили к Боголюбскому послов за разъяснениями, однако до ответа тот не снизошел. Тогда Ростиславичи заняли Киев, захватив Всеволода и Ярополка, объявили киевским князем Рюрика Ростиславича и одновременно осадили Михалку в Торческе, потребовав от него отказаться от Киева и предложив взамен Переяславль. Михалко, видимо, не считал себя слишком уж обязанным Андрею (возможно, не мог забыть нескольких лет изгнания) и согласился. Узнав об этом, Андрей Боголюбский пришел в ярость. И снова его посланец повез Ростиславичам волю князя. Боголюбский потребовал, чтобы Рюрик отправился в Смоленск к брату, а Давид и Мстислав покинули пределы «земли русской». Более всех возмутился словами Андрея Мстислав Ростиславич. Он приказал обстричь посланцу волосы и бороду и отправить его обратно с ответным посланием Андрею: «Мы тебя до сих пор считали отцом и любили, ты же прислал к нам такие речи, что считаешь меня не князем, а подручником и простым человеком; делай что замыслил. Бог нас рассудит!»

В.О. Ключевский откомментировал эти слова Мстислава: «Так в первый раз произнесено было в княжеской среде новое политическое слово *подручник*, т. е. впервые сделана была попытка заменить неопределенные, полюбовные родственные отношения князей по старшинству обязательным подчинением младших старшему, политическим их подданством наряду с простыми людьми».

Увидев остриженного посланца (что уже само по себе было оскорблением) и услышав эти слова, Боголюбский забыл о своем миролюбии и приказал собираться в поход. Немалое ополчение суздальской земли в пути пополнилось новгородцами, черниговцами, войсками княжеств полоцкой земли. Довелось выставить ополченцев в поход против родных братьев и Роману Ростиславичу — выбора у него не было, в противном случае армия Боголюбского сожгла бы Смоленск. Узнав о наступлении, Михалко снова переметнулся на сторону Андрея и занял Киев. Рюрик заперся в своей прежней вотчине Белгороде, Мстислав — в Вышгороде, Давид же поехал просить помощи у галицкого князя. Полагая Мстислава зачинщиком «сей смуты», Боголюбский приказал захватить его. Разношерстное войско осадило Вышгород. Осада продолжалась 9 недель. Большинство князей, участвовавших в походе, просто повиновались воле Андрея либо личной неприязни к Ростиславичам. Но были среди них и те, кто сам хотел стать киевским князем. Вот как это описывал Костомаров:

«Двоюродный брат Ростиславичей, Ярослав Изяславич Луцкий, пришедший со всею волынскою землею, искал для себя старейшинства и киевского стола, чего добивался также Святослав Всеволодович Черниговский, старейший князь в ополчении. Самого Андрея здесь не было, чтобы решить этот спор своею могучею волею; а все эти князья, сами того не сознавая, только затем и явились под Вышгород, чтобы дать возможность Андрею назначить в Киев такого князя, какого ему будет угодно».

Затянувшееся «стояние» давало возможность поостыть и задуматься. Ярослав Изяславич, рассорившись со своим явным конкурентом в борьбе за киевский престол Святославом Всеволодовичем, переметнулся к Ростиславичам и увел свое войско, чтобы, соединившись с Рюриком Ростиславичем, ударить по вчерашним союзникам. В то же время стало известно, что на помощь Ростиславичам идут галичане. Вчерашний перевес в силе растаял как дым. Со своей стороны большая часть союзников Боголюбского не имела ни поводов, ни охоты продолжать войну, как теперь говорят, «до победного конца». Смоленцы и вовсе пришли к Вышгороду не по своей воле. Новгородцы охладели к делу, которое уже не обещало быстрой выгоды. Ополченцам из полоцкой земли было совершенно безразлично, кто будет сидеть в Киеве.

Все это вместе с тем, что сам Боголюбский так и не присоединился к войску, а также с тем, что слухи сильно преувеличивали усиление противной стороны, привело к тому, что в стане осаждающих поднялась паника. И ночью, даже не дождавшись рассвета, войска их бежали в таком беспорядке, что многие ратники утонули, переправляясь через Днепр. Увидев это, Мстислав с дружиной сделал вылазку, погнался за ними, овладел их обозом и захватил много пленных. За эту победу над войсками двадцати князей со всех концов русской земли вышгородский князь в дальнейшем назывался не иначе, как Мстиславом Храбрым.

В летописях в память об этом неудачном походе остались такие строки: «Так-то, князь Андрей какой был умник во всех делах, а погубил смысл свой невоздержанием: распалился гневом, возгородился и напрасно похвалился; а похвалу и гордость дьявол вселяет в сердце человеку».

Неисповедимы пути Господни — не прошло и года, как Ростиславичи сами обратились к Андрею с предложением помочь вернуть Киев Роману. Однако Боголюбский промедлил с ответом. А внезапная смерть не позволила ему определиться с решением.

Но что же оставил после себя Андрей Боголюбский?

Вот что об этом писал Костомаров:

«При всем своем уме, хитрости, изворотливости Андрей не установил ничего прочного в русских землях. Единственным побуждением всей его деятельности было властолюбие: ему хотелось создать около себя такое положение, в котором бы он мог перемещать князей с места на место, как пешки, посылать их с дружинами туда и сюда, по своему произволу принуждать дружиться между собою и ссориться и заставить их всех волею-неволею признавать себя старейшим и первенствующим. Для этой цели он довольно ловко пользовался неопределенными и часто бессмысленными отношениями князей, существовавшею рознью между городами и землями, возбуждал и разжигал страсти партий; в этом случае ему оказывали услуги и новгородские внутренние неурядицы, и неурожаи новгородской земли, и давнее отчуждение полоцкой земли от других русских земель, и родовая неприязнь Ольговичей и Мономаховичей, и неожиданные вспышки вроде ссоры Ростиславичей со Мстиславом Изяславичем, и более всего те дикие противогражданственные свойства еще неустановившегося общества, при которых люди не умеют согласить личные цели с общественными, и легко можно расшевелить страсти надеждою на взаимный грабеж: все это, однако, были временные средства и потому имели временный характер. Кроме желания лично властвовать над князьями, у Андрея едва ли был какой-нибудь идеал нового порядка для русских земель. Что же касается до его отношений к собственно Суздальской-Ростовской волости, то он смотрел на нее как будто на особую землю от остальной Руси, но которая, однако, должна властвовать над Русью. Таким образом он заботился о благосостоянии своей земли, старался обогатить ее религиозною святынею и в то же время предал на разорение Киев со всем тем, что было там исстари святого для всей Руси. В какой степени оценила ею заботы сама суздальско-ростовская земля, показывает его смерть... Властолюбивый князь, изгнавши братьев и тех бояр, которые недостаточно ему повиновались, правил в своей земле самовластно, забывши, что он был избран народом, отягощал народ поборами через своих посадников и тиунов и по произволу казнил смертью всякого, кого хотел. Ужасные варварства, сообщаемые летописями об епископе Феодоре, его любимце, достаточно бросают мрачную тень на эпоху Андреева княжения, если бы даже половина того, что рассказывалось, была правда. Андрей, как видно, час от часу становился более и более жестоким».

Как уже говорилось выше, построив на месте явления ему Богоматери село Боголюбово, Андрей со временем сделал его своей постоянной резиденцией и жил там практически безвыездно. Однако именно это место, где он чувствовал себя в наибольшей безопасности, и стало местом его смерти.

Во многом князь сам был виноват в том, что с ним произошло. Неудачный поход на Киев не прибавил ему популярности, скорее наоборот, лишь усилил напряженность в отношениях с боярством. Не доверяя «своим», разогнав отцовых бояр и собственных родственников, Андрей окружил себя иноземцами, надеясь, что будучи здесь чужими, они будут служить ему более верно. Он ошибся, как ошибались многие до него и многие после.

И основу заговора составили его собственные родственники и верные слуги Кучковичи — те самые, которые когда-то помогли ему украсть чудотворную икону. За какую-то провинность Андрей приказал казнить одного из братьев своей первой жены. Брат казненного, Яким Кучко, подозревая, что следующим под горячую руку может попасть кто-то еще из родственников или даже он сам, собрал приятелей из числа Андреева окружения, включая упомянутого ключника Амбала, выходца с Кавказа, и кого-то еще из иноземцев.

Убийство свершилось. Жестокое и неблагородное. Но вот что пишет об этом Н.И. Костомаров, опираясь на летописи того периода:

«Между тем оказалось, что убийцы совершили поступок, угодный очень многим. Правление Андрея было ненавидимо. Народ, услыхавши, что его убили, бросился не на убийц, а напротив, стал продолжать начатое ими. Боголюбцы разграбили весь княжий дом, в котором накоплено было золота, серебра, дорогих одежд, перебили его детских и мечников (посыльных и стражу), досталось и мастерам, которых собирал Андрей, заказывая им работу. Грабеж происходил и во Владимире [...]

Весть об убиении Андрея скоро разошлась по земле: везде народ волновался, нападал на княжеских посадников и тиунов, которые всем омерзели способами своего управления; их дома ограбили, а иных и убили [...]

Несомненно, что ненависть к Андрею не была уделом одной незначительной партии, но была разделяема народом. Иначе нельзя объяснить того обстоятельства, что тело князя оставалось непогребенным целую неделю, и народ, услыхавши о насильственной смерти своего князя, обратился не на убийц его, а на его доверенных и слуг. Но, с другой стороны, если поступки этого князя, руководимого безмерным властолюбием, возбудили к себе злобу народа, то все-таки его деятельность в своем основании согласовалась с духом и характером той земли, которой он был правителем. Это всего яснее можно видеть из последующих событий и всей истории Ростовско-Суздальского края до самого татарского нашествия».

А так оценивал деятельность Боголюбского В.О. Ключевский:

«От всей фигуры Андрея веет чем-то новым; но едва ли эта новизна была добрая. Князь Андрей был суровый и своенравный хозяин, который во всем поступал по-своему, а не по старине и обычаю. Современники заметили в нем эту двойственность, смесь силы со слабостью, власти с капризом [...].

Проявив в молодости на юге столько боевой

доблести и политической рассудительности, он потом, живя сиднем в своем Боголюбове, наделал немало дурных дел: собирал и посылал большие рати грабить то Киев, то Новгород, раскидывал паутину властолюбивых козней по всей Русской земле из своего темного угла на Клязьме. [...] Прогнав из Ростовской земли больших отцовых бояр, он окружил себя такой дворней, которая в благодарность за его барские милости отвратительно его убила и разграбила его дворец. Он был очень набожен и нищелюбив, настроил много церквей в своей области, перед заутреней сам зажигал свечи в храме, как заботливый церковный староста, велел развозить по улицам пищу и питье для больных и нищих. Отечески нежно любил свой город Владимир, хотел сделать из него другой Киев, даже с особым, вторым русским митрополитом [...] Со времени своего побега из Вышгорода в 1155 году Андрей в продолжение почти 20-летнего безвыездного сидения в своей волости устроил в ней такую администрацию, что тотчас по смерти его там наступила полная анархия: всюду происходили грабежи и убийства, избивали посадников, тиунов и других княжеских чиновников, и летописец с прискорбием упрекает убийц и грабителей, что они делали свои дела напрасно, потому что где закон, там и несправедливостей много. Никогда еще на Руси ни одна княжеская смерть не сопровождалась такими постыдными явлениями. Их источника надобно искать в дурном окружении, какое создал себе князь Андрей своим произволом, неразборчивостью к людям, пренебрежением к обычаям и преданиям. [...] Современники готовы были видеть в Андрее проводника новых государственных стремлений. Но его образ действий возбуждает вопрос, руководился ли он достаточно обдуманными началами ответственного самодержавия или только инстинктами самодурства. [...] В трудные минуты этот князь способен был развить громадные силы и разменялся на пустяки и ошибки в спокойные, досужие годы...»

Изучая историю Северо-Восточной Руси (Суздальской земли и ее окрестностей) в период правления Андрея Боголюбского, В.О. Ключевский вскрыл немало неожиданных фактов, которым прежде придавалось куда меньше значения, чем вкладу князя в строительство храмов, составляющих поныне гордость не только Суздальской земли, но и всей России. Однако вклад князя в развитие государственности на Руси был куда весомее по своим последствиям, прежде всего разрушительным. Прежде всего Андрей Юрьевич отделил звание великого князя от престола в Киеве (о чем его отец лишь подумывал, но так и не сумел реализовать). Он принялся внедрять вместо прежнего родственного полюбовного соглашения князей, полного всевозможных неясностей, вольностей и попущений, обязательное подчинение младших родичей старшему князю как «подручников», как простых подданных своему государю-самодержцу. Кроме того, он попытался превратить Суздальскую землю в свое личное наследственное владение, свободное от передачи от князя к князю по старшинству (реализовать эту идею удалось его младшему брату Всеволоду Юрьевичу Большое Гнездо, занявшему владимирский престол два года спустя после Андреевой смерти).

Правда, у него это не получилось — не желая делиться властью, Андрей отверг большинство своих братьев и племянников, а из его собственных троих сыновей двое старших умерли раньше отца. Младший, Юрий, отправленный отцом в Новгород, для участия в борьбе за отцовский престол был слишком молод — он даже не смог удержаться на новгородском княжении, а дядя придал ему такое ускорение в сторону от Владимира, что Юрий исчез из виду почти на десять лет, а из русских летописей и вовсе навсегда. Впрочем, если хоть часть того, что осталось о Юрии в грузинских и армянских летописях того времени, правда, то просто замечательно, что он не занял место отца. Святой

Глеб Владимирский, названный в своем житии еще одним сыном Боголюбского, даже если и был им (если вообще существовал в реальности) — умер очень молодым (согласно тому же житию), так что все равно не мог наследовать Андрею. Смерть же властителя владимирского наступила прежде, чем он озаботился поиском иного преемника, если вообще подпускал к себе такую мысль.

Итак... Святой, который грешил поболе многих грешников. Набожность, которой мог похвастаться едва ли не каждый третий князь тогдашней Руси. Краденая икона... Разжигание усобиц, в том числе стравливание собственных союзников. Разорение Киева — той самой «матери городов русских», которую он надеялся превзойти, украшая свою столицу...

До появления монголов на русских землях оставалось всего полвека...

Князь Константин Муромский

Среди русских святых блаженный князь Константин и сыновья его Михаил и Федор занимают особое место в ряду мучеников, отдавших жизнь за веру.

Князь Константин Муромский был потомком крестителя Руси — великого князя Киевского Владимира Святославича.

Достигнув совершеннолетия, Константин просил у своего отца Святослава, князя Черниговского, дать ему в удел город Муром, чтобы просветить этот край, населенный одними язычниками, и принести в него свет христианства.

Князь Святослав не сразу дал свое согласие, зная суровый нрав муромских язычников и опасаясь за жизнь Константина. Помнил он и о том, сколько усилий приложил святой Глеб, чтобы донести до тамошних жителей огонь истинной веры, но так ничего и не добился и все свое недолгое княжение провел не в самом Муроме, а в резиденции неподалеку от города. После его мученической смерти в 1015 году Муром долго не имел князя. Делами Муромской земли управлял сначала наместник великого князя Киевского, а когда в 1024 году Муром вошел в состав Черниговского княжества — наместники черниговских князей. Наместников больше волновали подати, собираемые с богатого торгового города, каковым был Муром, и язычество оставалось по-прежнему сильным. Между тем соседи — болгары — старались включить Муром в зону своего влияния. И даже сумели занять его в 1088 году, впрочем, очень ненадолго. Зная об этом, «князь Константин, слыша о Муроме, яко велик и славен и множество людей живущих в нем и богатством всяким кипящий», обратился к отцу с просьбой отдать ему Муром. Осознав, что Константин решился на это для святой веры, князь Святослав дал свое согласие. И вот в 1192 году Константин, получив благословение митрополита, вместе с сыновьями своими Михаилом и Феодором, духовенством, войском и слугами вышел из Киева и пришел к городу Мурому.

Когда до города осталось уже немного, князь Константин отправил к муромцам вперед себя своего старшего сына Михаила с небольшим отрядом — как посланца своей доброй воли, уговорить горожан не противиться ему. Однако язычники убили княжича и ехавших с ним и бросили тела у ворот города. Они готовы были убить и самого князя, но увидев, что тот пришел с большой дружиной, покорились силе и приняли его.

Неизвестно, что случилось с непосредственными убийцами Михаила и были ли они вообще найдены, но всему городу Константин мстить не стал. И даже не принудил жителей принять веру Христову, хотя мысли об их просвещении не оставил. На месте убиения Михаила князь поставил церковь Благовещения Пресвятой Богородицы. И не раз Константин призывал к себе городских старейшин, убеждая их отринуть язычество и принять истинную веру, а к простым горожанам обращалось с проповедью духовенство, прибывшее с князем.

Волхвы были недовольны распространением новой веры, и однажды толпа ярых язычников, вооружившись мечами и дрекольем, собралась у княжьих палат, призывая Константина выйти к ним на расправу. Князь вышел, но не с оружием, а с иконой Муромской Божьей Матери. Это так поразило и смутило язычников, что ярость оставила их, и они сами пожелали принять крещение. Князь позаботился, чтобы крещение муромцев было совершено торжественно, со всеми необходимыми обрядами, на реке Оке — так же, как великий князь Владимир крестил киевлян в Днепре. Константин щедро одарил крестившихся — одеждой, деньгами, а кого и вотчинами. Вскоре князь построил еще один храм — в честь святых Бориса и Глеба.

В утверждении новой веры среди муромцев и избавления их от «прелестей идольских» Константину ревностно помогал его старший сын, князь Феодор. Крестив муромцев, князь Константин «заповеда ставити церкви в городе и в селах и монастыри мужския и женския», построил в городе Спасский монастырь и учредил в Муроме епископскую кафедру. Схоронив в 1223 году жену Ирину, князь более не женился, проведя остаток жизни в истинной вере и непорочности во всем, являясь всегда защитником бедных и сирот. Спустя девять лет после смерти княгини, которая ныне почитается в качестве местной святой, князь Константин скончался и был погребен в церкви Благовещения рядом с сыновьями, блаженными Михаилом и Феодором.

В 1351 году князь Георгий Ярославич, восстанавливая запустевший от татарских набегов Муром, отстроил заново и церковь Благовещения Пресвятой Богородицы, после чего у каменных гробов Константина и сыновей его стали совершаться чудеса. Благодаря усилиям митрополита Макария, Константин и его сыновья были причислены к лику святых на церковном соборе в 1547 году. В 1553 году Иоанн Грозный, идя в поход к городу Казани, пробыл в Муроме две недели. И дал обещание построить каменную церковь взамен деревянной. Начав строительство, нашли мощи святых князей, для которых определили место в нише церковной стены по окончании строительства. Царь повелел тогда епископу Рязанскому Гурию освятить новый храм и прислал к освящению его различную церковную утварь. При церкви основан был Благовещенский монастырь. И еще немало иных чудес проявили мощи святых князей Муромских.

Вот и еще одно житие святых в современном переложении прочитано. И снова вопрос — все ли правда здесь?

Еще в XIX веке историки попытались привести житие Константина Муромского в соответствие с иными источниками. Однако названные в житии даты, разнящиеся в разных редакциях (например, прибытие Константина обозначено в них 1192-м, 1215-м и 1223 годами), а кроме того, фразы о двух столетиях между крещением Киева и крещением Мурома (как и о том, что крещение Мурома «вскоре после святого Владимира») никак не сходились ни между собой, ни с тем, что написано в сохранившихся летописях.

Дело в том, что никогда и нигде не упоминался применительно к Мурому князь Константин. А имя жены его — Ирина — позаимствовано автором жития у супруги Константина, но не муромского князя, а византийского императора.

В означенный в житии период, то есть в 1192–1232 годах, согласно летописям в Муроме правили совсем другие князья. Не буду перечислять всех, достаточно одного — Давыда Юрьевича. Того самого, который княжил в 1203–1228 годах и которого вместе с его супругой старательно отождествляют со святыми Петром и Февронией. Странно, однако, что, хотя и Петр с Февронией, и Константин с сыновьями жили, получается, в одно и то же время в одном и том же месте и канонизированы одним церковным собором 1547 года, жития их в текстах своих никак не пересекаются.

К этому моменту мы еще вернемся, но сначала посмотрим — кого из реально существовавших князей отождествляют со святым Константином. В XIX веке перед авторами трудов по истории Русской православной церкви встал вопрос: кто такой Константин? По житию, его родословная берет начало от Владимира Святого, отца его звали Святославом, но ни в одной летописи никакого Константина Святославича нет. К слову, Никоновская и Воскресенская летописи приписывают крещение Мурома самому Владимиру Святому (с различием лишь в том, что Никоновская говорит обо всей Муромской земле, а Воскресенская — только о городе). Поиск среди известных потомков крестителя всея Руси по затейливой кривой вывел на муромского князя Ярослава Святославича, внука Ярослава Мудрого и правнука Владимира Святого, родоначальника всех муромских, рязанских и пронских князей.

Ярослав Святославич князем был не слишком выдающимся. Впервые упомянут был в летописях под 1096 годом, когда вместе с братом неудачно поучаствовал в борьбе за ростовский престол, после чего и оказался в Муроме — отсиживался, вовсе не мечтая о том, чтобы кого-то там крестить. В 1110 году «прославился» поражением от мордвы. В 1123 году Ярославу наконец повезло заполучить по старшинству черниговский престол, но всего четыре года спустя его согнал оттуда собственный племянник. Вернуть Чернигов не удалось — поддержавшие его поначалу князья в итоге договорились с «захватчиком», поход не состоялся, и Ярослав ни с чем вернулся в Муром, где и умер спустя два года. После смерти Ярослава Муромо-Рязанская земля разделилась. В Муроме отца сменил старший сын Юрий, который правил здесь до своей смерти в 1143 году. Средний сын Святослав вокняжился в Рязани, после смерти брата перешел в Муром, но и сам скончался через два года. Младший из братьев, Ростислав, стал первым пронским князем, потом перешел в Рязань, а после смерти Святослава занял престол в Муроме и княжил до своей смерти в 1153 году. Однако вернемся к необъяснимому тождеству Ярослава и Константина.

Отождествителей не смутила длинная цепь нестыковок, большую часть из которых списали на ошибки агиографа, а остальные просто проигнорировали. Например то, что Ярослав Святославич приехал в Муром в 1097 (а не в 1192) году, получив этот престол на съезде князей в Любече, и умер в 1129 (а не в 1232) году.

Различие в именах «объяснили» тем, что, мол, Ярослав — имя, данное при рождении, а Константин — при крещении. То, что Ярослав был крещен как Панкратий, опять же оставили без внимания. Ярослав имел троих сыновей, которые все пережили своего отца, у Константина же, согласно житию, было два сына — один из которых был убит в малолетстве, а второй похоронен вместе с ним (возможно, был убит незадолго до смерти отца). Заслуги перед церковью, приписываемые Константину, тоже перенесли на Ярослава. И даже жену Ярослава некоторые историки вслед за женой Константина именуют Ириной (откуда в нашей истории взялось это имя, я уже объяснил выше). Даже основание Спасского монастыря в Муроме приписали Ярославу. Хотя если учесть, что он прибыл в город в 1097 году, а монастырь упомянут в летописи под 1098 годом как действующий, а не только что основанный, то князь явно не мог построить его так быстро, учитывая возможные ошибки при пересчете дат, да и просто то, что ехал он туда не только монастырь строить. Кроме того, отец Ярослава умер в 1076 году и никак не мог дать ему своего согласия и благословения на отъезд в Муром через 20 лет после своей смерти. А Спасский монастырь, вероятнее всего, был основан либо святым Глебом, либо вскоре после его смерти. Историк Д.И. Иловайский, который тоже поддержал версию о тождестве Константина с Ярославом, высказал «все объясняющее» предположение, что Ярослав, мол, отправлялся в Муром дважды — при жизни отца и 20 лет спустя. Но тогда получается, что уже дети Ярослава были младенцами в 1097 году и не могли участвовать в крещении муромцев.

Но что привело к идее подобного отождествления? Всего лишь ощущение невозможности, даже абсурдности крещения русского города в конце XII века. То, что многие окраины Руси и после этого не были еще полностью христианизированы, во внимание не принималось.

Интересно присутствие среди сторонников идеи отождествления архимандрита Мисаила, настоятеля Благовещенского монастыря в Муроме. Хотя для священнослужителя, да еще и муромского жителя, логичнее было бы держаться версии исторической достоверности жития, Мисаил поддержал тех, кто утверждал, что Ярослав и Константин — одно лицо. И даже в своем «Опыте исторического исследования», опубликованном в 1906 году, написал, что у Благовещенского собора похоронен Ярослав, хотя к тому моменту уже было известно, что этого князя похоронили на территории муромского кремля. Мисаил тоже обвинил переписчиков жития, которые, мол, ошиблись годом (то есть должен быть 1092-й от Рождества Христова, или 6600-й, а не 6700-й от сотворения мира) и крестильное имя не то указали (Константин вместо Панкратия). По всей видимости, для Мисаила тот факт, что даже спустя двести лет после прихода христианства на Руси оставались язычники, был более неприемлем, чем отказ от веры в реальность святого, которому до этого истово молился. Иначе как он мог написать следующее: «Отодвигать принятие Муромом христианства к началу XIII века, как это делает житие, мы не имеем никаких оснований. Совершенно не естественно, что в Муроме в течение столетия (с 1097 до 1192 или даже до 1223 года) существовала религиозная рознь между правящим классом и народом. Христианство утвердилось в ближайших к Мурому областях — Ростовской и Суздальской». В запале полемики он даже сделал вывод, что «годы... не могут быть даже приблизительно верными, а другие данные тоже противоречивы. В летописях князя Константина не значится».

В противоположность Мисаилу современный исследователь Г.В. Хлебов сумел, отталкиваясь от жития и текста на клеймах житийной иконы Константина, Михаила и Феодора, выстроить вполне непротиворечивую гипотезу о реальности Константина, жившего в начале XIII века, и нетождественности его с Ярославом Святославичем, княжившим столетием ранее. Хлебов предположил, что Константин не был правящим князем — в городе властвовали упомянутые летописями князья. Константин же прибыл в Муром с единственной целью — внедрения христианства среди язычников, никак на престол не претендуя. А сын его Феодор потому похоронен вместе с ним, что если сам Константин с Давыдом ладили, то этого нельзя было сказать об их сыновьях — и сын Давыда, заняв престол после смерти отца, позаботился об устранении возможного конкурента, ведь Феодор был княжьего рода и уж на муромский-то престол мог теоретически претендовать. А отцом Константина по версии Хлебова действительно был черниговский князь Святослав — только не Ярославич, а Всеволодович (умерший в 1194 году), который вполне мог в 1192 году благословить своего младшего сына на духовный подвиг — раз уж тот не мог претендовать ни на черниговский, ни на киевский престолы, ни на что-нибудь помельче. Логично, правдоподобно и даже красиво. Вот только у Святослава Всеволодовича не было сына Константина. На что Хлебов предположил, что Константин — крестильное имя Ярослава. Увы, но и такого сына у Святослава Всеволодовича летописи не упоминают. Что же тогда стало опорой для этой гипотезы? Всего лишь выловленная у В.О. Ключевского фраза «В XII веке Муромо-Рязанский князь Ярослав, младший сын Святослава Черниговского, стал князем-изгоем, вышедшим из общего порядка получения великокняжеского престола ввиду своего младшенства». Однако Ключевский, с одной стороны, нигде не назвал Святослава Черниговского Всеволодовичем, а с другой — прямо указал, что Ярослав был муромским князем. То есть речь шла о том самом князе, которого многие отождествляют с Константином — Ключевский всего лишь имел в виду, что большая часть его правления пришлась на XII век. Так единственная деталь, выдернутая из стройной конструкции, обращает ее в руины.

А вот что писал о муромских святых в своей работе «Древнерусские жития святых как исторический источник» сам В.О. Ключевский:

«В рукописях были распространены с XVI века две службы муромским святым: одна из них на память кн. Константина и детей его Михаила и Феодора приписывается *господину Михаилу мниху*, в другой на память Петра и Февронии первый канон написан *Похомием мнихом*, второй тем же Михаилом. Эти службы составлены были около 1547 года, когда собор установил местное празднование муромским чудотворцам; может быть, авторам их принадлежит и литературная обработка сказаний о тех же святых, хотя в рукописях нет прямого указания на это».

Любопытно — один и тот же инок причастен к обеим службам, однако ни в одной не говорится, что святые жили в одно время (как и в житиях), хотя обычно агиографы таких фактов не игнорировали — особенно, если это был один автор. Кстати, вышупомянутый Мисаил поддержал Ключевского, обратившего на это внимание. Однако что еще Ключевский говорил о самом Константине?

«...Повесть о князе Константине и его сыновьях сохранилась в нескольких редакциях. В полном своем составе она содержит сказания о древнейшем состоянии города Мурома, о водворении в нем христианства Константином, о восстановлении города князем Юрием, далее поэтическую легенду о епископе Василии и рассказ о обретении мощей муромских просветителей в 1553 году. Эта повесть имеет чисто историческую основу; но едва ли можно воспользоваться ее подробностями. Редакции ее несогласны в показаниях о времени события, из которых ни одно, впрочем, не заслуживает веры: полная относит прибытие Константина в Муром к 6731 (1223) году, замечая, однако ж, что это было немного после св. Владимира; краткая неопределенно обозначает событие цифрой 6700. Притом в местном предании, на котором основана повесть, автор не нашел уже живых действительных черт события и должен был заменять их приемами риторического изобретения и чертами, взятыми из рассказа летописи о крещении Киева. Наконец, в повести есть эпизод, относящийся к гораздо позднейшему времени и позволяющий видеть, как автор распоряжался фактами: рассказывая о восстановлении города Мурома князем Юрием Ярославичем, он говорит, что и этот князь пришел из Киева и «устроил» в Муроме епископа Василия. Поэтому было бы напрасно пытаться примирить все черты повести, не предполагая в них ошибок, с сохранившимися известиями летописи о древнем Муроме. Помогая лишь установить в самом общем виде основный факт, неизвестный из других источников, повесть сообщает несколько известий об остатках языческих обрядов на Руси и намеков на ее отношение к восточным инородцам в XVI веке».

Иначе говоря, некая историческая основа у истории о Константине есть, но сама она ни с какой стороны историческим источником не выглядит. Причем самый главный элемент — личность святого князя — является и самым недостоверным...

Другому известному историку церкви, профессору Е.Е. Голубинскому, идея отождествления двух князей, живших с разрывом в столетие, показалась не менее сомнительной, чем повод, ее породивший. Кроме того, опираясь на данные летописей, он пришел к выводу, что не то что Константин, но и «Ярослав не мог быть первым крестителем Мурома, там до него был Спасский монастырь... в нем уже было христианство... Ярослав же в Муроме даже церкви не построил». Отвергнув отождествление князей, Голубинский в своей «Истории русской церкви» (Сергиев Посад, 1880) пришел к отрицанию существования Константина иначе как литературного персонажа, не найдя ему никакого документального подтверждения: «Весь рассказ жития Константина есть не что иное, как вымысел муромских риторов».

Трудно что-либо к этому добавить...

Святые Петр и Феврония

Эти святые ныне относятся к числу самых известных и почитаемых православных святых. Житие их, написанное иноком Еразмом (Ермолаем), по праву считается одним из лучших памятников средневековой русской литературы. В XVI–XVII веках это было еще и одно из самых популярных произведений — к этому периоду относятся более трехсот дошедших до наших дней списков «Повести о Петре и Февронии

Муромских». Муромские чудотворцы просла-
вились своим милосердием и благочестием, и
считаются покровителями семьи и брака — поскольку их супружеский союз может служить
безупречным образцом брака христианского.
День поминовения Петра и Февронии 8 июля
(25 июня по старому стилю) с 2008 года отме-
чается в России как День семьи, любви и верности.

Известно о них, увы, немного. Петр был
младшим сыном муромского князя, и престол
после смерти отца занял Павел, старший брат
Петра. Вскоре Павел умер, и в Муроме вокняжился Петр. Но за несколько лет до начала своего княжения Петр заболел неизлечимой про-
казой — по народной легенде после того, как
убил дьявольского змея, искушавшего жену его
брата, и кровь чудовища попала на кожу Петра. Страшные язвы и струпья покрыли его тело.
Ни один лекарь в Муромской земле не знал,
как лечить болезнь, поразившую Петра. Поиски исцеления привели княжича в Рязанские
земли — поскольку было ему видение во сне,
что там найдется дева, дочь древолазца (по-ны-
нешнему бортника, добытчика дикого меда),
которая одна сможет ему помочь. Сон сбыл-
ся — дева-врачевательница нашлась. Звали
ее Февронией, и была она из села Ласково. За
свое исцеление Петр готов был щедро отблаго-

дарить, но девушка отказалась от даров, взяв с Петра обещание, что если она его излечит, то он на ней женится — никакая другая плата ее не интересовала. Феврония была мудра не по годам и, излечив его, все же оставила на теле его один струп. Исцеленный и счастливый, Петр уехал в Муром, не придавая значения своему обещанию. Все-таки Феврония была князю не ровня. Поэтому держать свое слово не собирался. Все же Петр послал ей дары, однако Феврония их все вернула. Спустя немного времени болезнь снова захватила все тело князя, и тогда он горько пожалел о той легкости, с которой нарушил свое слово. И тогда Петр снова поехал к ней, но в этот раз дал обещание искренне и твердо, и сдержал его, когда стал здоров.

И женился на Февронии, и жили они в счастье и благочестии. Но не нравилось муромским боярам, а тем паче их женам, что жена у князя Петра не княжеского рода. И когда стал Петр князем, бояре поставили его перед выбором — или он оставит жену-простолюдинку и будет править ими, или останется с женой, но Муром покинет. Петр выбрал Февронию и в этот раз. Снарядили им две лодки, и поплыли они от Мурома по Оке. А в Муроме началась смута великая со смертоубийствами, ибо многие бояре считали себя достойными княжеский престол занять, вот только остальные были с этим несогласны. Но мудрейшие из бояр, увидев это опустошительное кровопролитие, постановили послать скорее за Петром и Февронией и уговорить их вернуться.

И вернулись супруги в Муром. И не было ни смуты, ни войны в эти годы. И со временем полюбили люди Февронию. Вели князь и княгиня жизнь благочестивую и достойную. Святые супруги пронесли любовь друг к другу через все испытания. Состарившись же, приняли они оба монашеский постриг под именами Давида и Евфросинии, и хотя жили в разных обителях, умерли в один день и час. Похоронить же себя завещали в одном гробу, заранее подготовив каменную гробницу, в которой бы их разделяла лишь тонкая перегородка. Однако тем, кому выпало исполнить их последнюю волю, такое погребение показалось несовместимым с монашеским званием, и их похоронили в разных обителях. Однако на следующий день тела их оказались в той гробнице, и когда их снова унесли, то потом опять нашли там, где они хотели быть. И тогда наконец была исполнена их воля и похоронили их вместе.

История благочестивых супругов многие годы служила примером всем христианам, и наконец в 1547 году церковный собор канонизировал их. С той поры святой благоверный князь Петр и святая благоверная княгиня Феврония своими молитвами низводят небесное благословение на вступающих в брак.

В 1553 году над местом их погребения в Муроме Иваном Грозным была возведена соборная церковь в честь Рождества Пресвятой Богородицы, и вплоть до 1921 мощи святых находились там, пока большевики не перенесли их в местный музей, где выставили в сопровождении вульгарных комментариев. Храм же был разграблен, в 1924 году закрыт, а в 1939 году и вовсе разобран — уцелела на какое-то время лишь колокольня, использовавшаяся в качестве пожарной каланчи... В 1992-м мощи были возвращены верующим и ныне почивают в соборном храме Свято-Троицкого монастыря в Муроме, во многих российских городах появились памятники святым супругам.

Так или примерно так выглядит история святых Петра и Февронии в изложении православной церкви.

Но так ли все было на самом деле? Князю Петру и его супруге не приписываются никакие подвиги во имя церкви и веры, за исключением того, что сама их жизнь была образцом для подражания. Вот только — был ли князь? Была ли княгиня?

Большая часть сведений о святых супругах, которую может найти современный читатель, взята из упомянутой выше «Повести о Петре и Февронии Муромских». Сия повесть — несомненно, шедевр средневековой литературы — появилась на свет уже после канонизации Петра и Февронии. Причем это было, выражаясь современным языком, заказное произведение — Ермолай-Еразм написал повесть по поручению московского митрополита Макария. Обычно утверждается, причем со ссылкой на летописи, что речь в повести идет о совершенно реальных людях (это понятно — не литературных же персонажей объявлять святыми), которые действительно жили в Муроме и умерли в 1228 году. Вот тут и начинаются некоторые... скажем так, несоответствия. Богослужебная практика православия использует два варианта привязки поминовения святых к календарю — в день их кончины и в день перенесения их святых мощей. Поминовение Петра и Февронии отнесено к 25 июня по старому стилю, хотя в летописях имеются указания на то, что князь и княгиня умерли на Светлую Седмицу, то есть в первую неделю после Пасхи, иначе говоря, это печальное событие имело место в апреле. На это обычно приводится вполне логичное предположение, что поминовение святых в данном случае привязано именно к перенесению мощей — из обветшавшего за три с лишним века Борисоглебского собора в новый храм Рождества Богородицы. Тем не менее, большинство источников тиражирует утверждение, что на 25 июня приходится именно кончина святых супругов.

Однако вот какой вопрос гораздо весомее спора между апрелем и июнем — кто в действительности умер в 1228 году?

Традиционно принято отождествлять Петра из «Повести...» с муромским князем Давыдом Юрьевичем, внуком Владимира Святославича, первого великого князя рязанского, княжившего в Рязани в 1153–1161-м (до Рязани, в 1147–1149 годах Владимир княжил в Муроме). Отец Давыда, Юрий Владимирович, не раз участвовавший в военных походах Андрея Боголюбского, умер в начале 1176 года. Тогда же в Муроме вокняжился его старший сын Владимир (это его обычно соотносят с житийным Павлом, братом Петра), правивший 27 лет, до своей смерти в 1203 году (Лаврентьевская летопись упоминает об этом под 1205 годом, но как произошедшие в то же время названы события, которые достоверно имели место раньше, в 1203–1204 годах).

Дата рождения самого Давыда (как и его брата, и отца, и деда) неизвестна, но, исходя из даты смерти его отца, можно предположить, что к моменту, когда ему самому достался муромский престол, ему было никак не менее 27 лет (и это при условии, что он не помнил отца или и вовсе родился уже после его смерти; впрочем, и Лаврентьевская летопись, и «Повесть...» об этом умалчивают). Весьма вероятно, что он был еще старше на тот момент — ведь умерли Давыд и его супруга в преклонном возрасте, от старости (о том же говорится и в «Повести...»), после 25 лет княжения.

В предположении о тождестве есть, конечно, здравое зерно. Действительно, в то время при крещении не всегда давали то же самое имя, что при рождении. И вполне возможно, что Давыда крестили Петром, а Владимира Павлом. Вот только мне лично не удалось отыскать хотя бы косвенного упоминания о том, чтобы у кого-то из русских князей того времени крестильное имя вытеснило имя, данное при рождении — никто, к примеру, не называл Владимира Святого «в быту» Василием. Да и в житии он именуется Владимиром. То же самое можно сказать об Андрее Боголюбском. Летопись же ничего не сообщает об именах, полученных Давыдом и его братом при крещении (то есть сыновья князя Юрия именуются исключительно Владимиром и Давыдом).

В части биографических данных повесть и летописи изрядно расходятся. В повести, к примеру, нет ни слова о том, что у Петра и Февронии были дети — хотя должно быть, по идее, упоминание не только об их супружеской верности, но и о том, какими замечательными родителями они были. У Давыда же и его жены было трое детей — дочь Евдокия и сыновья Святослав и Юрий. Причем Святослав умер даже раньше родителей (в самом начале 1228 года), а Юрий наследовал отцу (и княжил вплоть до своей гибели в одном из первых сражений с монголами в 1237 году), однако и этот момент, отмеченный в летописи, в житии никак не отражен. С другой стороны, в летописях не называется имя жены Давыда, никак не отмечено там и ее происхождение (хотя, наверное, женитьба князя на девушке простого звания вполне могла удостоиться упоминания), не говорится ничего об изгнании князя и его жены из Мурома, а также о последующей смуте и их возвращении. Зато повесть обходит стороной участие князя и дружины в военных походах на стороне великого князя Владимирского Всеволода Большое Гнездо и сменившего его сына Юрия в 1207, 1208, 1213, 1216 годах, муромской дружины (во главе со Святославом Давыдовичем) в походе владимирцев на волжских болгар в 1220 году.

То есть между «Повестью...» и летописными источниками просто нет явных противоречий.

Однако почти нет и полных соответствий. За исключением места действия (Муром) и наличия у князя жены и брата. Все остальное держится исключительно на допущениях. Иначе говоря, с юридической точки зрения тождество далеко не полное. Правда, в «Повести...» говорится, что, принимая в конце жизни монашеский постриг, Петр получил имя Давид. Хотя вроде бы должно быть наоборот...

Надо заметить, что «Повесть о Петре и Февронии Муромских» стоит особняком среди житийной литературы. С одной стороны — она не соответствует уже сложившемуся к середине XVI века канону агиографических произведений. С другой, историческим документом в строгом понимании этого слова «Повесть...» тоже не является. Хотя бы потому, что в тексте ее нет ни одного случая прямой или хотя бы косвенной датировки, ничего внятного не говорится и о периодах времени между описываемыми событиями.

Судя по результату его работы, написавший «Повесть...» Ермолай (в иночестве Еразм) был талантливым писателем. Не всякий сумел бы сплести в единое целое сразу две легенды (об убиении огненного змия и о мудрой деве), да еще и так творчески связать их с теми крохами сведений о муромском князе, которые ему, скорее всего, предоставил заказчик — митрополит Макарий. Однако речь сейчас не о литературных достоинствах повести. Речь о том, что повесть (по сути, художественное произведение) — самый полный источник сведений о Петре и Февронии, используемых в более поздних церковных текстах. Единственным дополнением являются те самые заимствования из летописей, привязывающие легенду к реальности — начиная от сведений об отце муромского князя и заканчивая возможной датой смерти обоих святых.

Вот только... Даже если согласиться с (ничем серьезным в общем-то не подкрепленным) утверждением, что Давыд Юрьевич Муромский и Петр-чудотворец — один и тот же человек, возникает другой вопрос — а заслуживал ли реально существовавший князь Давыд канонизации? Я не говорю о его жене — мы даже не знаем, как ее звали «не в сказке». Кто он был, князь Давыд? Владетель маленького княжества на границе Руси, даже в периоды относительной независимости склонявшегося то к одному сильному соседу, то к другому. Однажды едва не умерший от проказы... А Феврония? Готовая позволить человеку умереть, если он на ней не женится?

По мнению Ключевского, сказание о Петре и Февронии «имеет значение только как памятник, ярко освещающий неразборчивость, с какою древнерусские книжники вводили в круг церковно-исторических преданий образы народного поэтического творчества».

Кто-то, возможно, с этим не согласится...

Александр Невский

Александр Ярославич, названный народом Невским, князь Новгородский, великий князь Киевский и Владимирский, причислен Русской православной церковью к лику святых...

Он родился 30 мая 1221 года в Переславле-Залесском. Отец его, Ярослав Всеволодович, «князь кроткий, милостивый и человеколюбивый», был младшим сыном великого князя Владимирского Всеволода III Большое Гнездо.

В 1227 году отец Александра, по просьбе новгородцев, был послан своим братом Юрием (сменившим отца на великокняжеском престоле во Владимире) в Новгород, куда он взял с собой и двоих сыновей. Правление Ярослава в этот раз (он уже был новгородским князем дважды) не снискало ему любви новгородцев, которые в начале 1229 года пригласили на княжение Михаила Черниговского, и в феврале 1229 года Ярослав с сыновьями ушел в Переславль, однако через год возвратился в Новгород. Здесь же в 1233 году умер, не достигнув совершеннолетия, старший брат Александра Федор, впоследствии тоже причисленный к лику святых.

С ранних лет Александр сопровождал отца в военных походах, а в 1236 году был оставлен им самостоятельно княжить в Новгороде — Ярослав занял престол в Киеве (а в 1238, после смерти Юрия, сел на престол во Владимире). В 1239 году новгородский князь женился на Александре, дочери полоцкого князя Брячислава Васильковича, которая родила ему четверых сыновей.

Наступало трудное время в истории русских земель: с востока и юга все чаще и все разрушительнее вторгались монгольские орды, с севера и запада накатывались немецкие рыцари-крестоносцы, с благословения папы римского завоевавшие побережье Балтики.

Воспользовавшись тем, что русские княжества разоряемы нашествием Батыя, несут страшные потери и не могут вести войну на два фронта одновременно, захватчики, благословляемые папой римским, все чаще и все наглее врывались в пределы Отечества, грабили, жгли, уводили пленных и просто убивали. Но этим промышляли не только немецкие рыцари. В 1240 году и король Швеции собрал войско и на множестве кораблей послал его к устью Невы. Командовал этим войском зять короля, ярл Биргер. Уверенный в успехе, шведский военачальник, высадившись на новгородской земле, даже послал к Александру гонцов с таким посланием: «Если можешь, сопротивляйся. Знай, что я уже здесь и возьму твою землю».

Александр, которому едва исполнилось 19 лет, помолившись и получив благословение архиепископа Спиридона, вышел из храма и обратился к своей дружине со словами: «Не в силе Бог, а в правде. Иные — с оружием, иные — на конях, а мы Имя Господа Бога нашего призовем! Они поколебались и пали, мы же восстали и тверды были». С небольшой дружиной князь поспешил на врагов — ждать подмоги от псковичей, а уж тем более от владимирцев, не было времени. По пути к нему присоединились ладожские ополченцы.

Обнаружив вражеский лагерь, Александр мужественно повел своих воинов на численно превосходивших их шведов, сделав ставку на внезапность. «И была сеча великая с латинянами, и перебил их бесчисленное множество, и самому предводителю возложил печать на лицо острым своим копьем». После такого разгрома шведы очень долго не беспокоили русские земли... За эту победу на реке Неве, одержанную 15 июля 1240 года, народ назвал князя Александра Невским.

Однако не было мира на западных границах Руси — немецкие рыцари по-прежнему оставались опасным врагом. В 1241 году Александр выбил крестоносцев из крепости Копорье. Однако в начале 1242 года рыцарям Тевтонского ордена удалось захватить Псков — помогло предательство кого-то из горожан. Но Александр выступил в поход, несмотря на тяжелые зимние условия, и освободил город. Стерпеть такой позор «доблестное христово воинство» не смогло, и рыцари засобирались в карательный рейд на Новгород. Но 5 апреля 1242 года на льду Чудского озера новгородцы сами встретили немецких рыцарей. Так об этом говорит житие святого Александра Невского: «...и когда взошло солнце, сошлись противники. И была сеча жестокая, и стоял треск от ломающихся копий и звон от ударов мечей, и казалось, что двинулось замерзшее озеро, и не было видно льда, ибо покрылось оно кровью».

Апрельский лед проламывался под всадниками — тяжелые доспехи вместо того, чтобы защищать, увлекали тевтонов в ледяную воду... Крестоносцы были полностью разгромлены. Множество пленных вели потом вслед князю, и шли они посрамленные. Победа в Ледовом побоище лишь укрепила полководческий авторитет юного князя, подняв его на недосягаемую высоту.

Западные границы были надежно заперты, пора было оградить Русь с Востока. В 1243 году Александр Невский со своим отцом, теперь уже великим князем Владимирским Ярославом, выехал в Орду. Митрополит Кирилл благословил их на новое многотрудное служение: предстояло превратить татар из безжалостных врагов и кровожадных грабителей в союзников, а для этого мало было уметь махать мечом, нужна была «кротость голубя и мудрость змеи».

Своей цели Александр и его отец достигли, но на это потребовались годы трудов и жертв. Заключив союз с ханом Батыем, князь Ярослав должен был, однако, ехать в 1246 году в далекую Монголию, в Каракорум — столицу всей империи кочевников. Батый и сам был в нелегком положении, он готов был пойти на союз с русскими князьями, желая отделиться со своей Золотой Ордой от дальней Монголии. А там, в свою очередь, не доверяли ни Батыю, ни русским. Оттуда князь Ярослав не вернулся — он был отравлен. Не вернулся из Монголии и Михаил Черниговский (Михаила казнили за отказ пройти языческий обряд), с которым когда-то отец Александра едва не породнился — дочь Михаила была невестой Федора Ярославича (после смерти жениха девушка ушла в монастырь). Завещанный отцом союз с Золотой Ордой — необходимый тогда для предотвращения нового разгрома Руси — продолжал крепить Александр Невский. Сын Батыя Сартак, который заведовал в Орде русскими делами и сам принял христианство, стал его другом и побратимом. Обещав свою поддержку, князь Александр дал возможность Батыю выступить в поход против вождей-соперников, стать главной силой во всей Великой Степи, а на престол в Монголии возвести хана Мунке, вождя татар-христиан.

Не все русские князья обладали прозорливостью Александра Невского. Многие из них в борьбе с татарским игом надеялись на помощь Европы. Переговоры с папой римским вели и Михаил Черниговский, и Даниил Галицкий, и даже младший брат Александра — Андрей. Но Александр хорошо помнил судьбу Константинополя, захваченного и разграбленного в 1204 году не сарацинами — а крестоносцами. И собственный опыт учил его не доверять «латинянам». Когда в 1248 году послы папы римского явились склонять его к переходу в католичество, он написал в ответ о верности русских православию: «Сии все добре сведаем, а от вас учения не приемлем». В 1252 году многие русские города восстали против татарского ига, поддержав Андрея Ярославича, который согласно последней воле отца стал великим князем Владимирским. Однако силы не были равны. Шаткое равновесие оказалось под угрозой. Александру пришлось снова ехать в Орду, чтобы отвести от русских земель карательное нашествие Орды.

Но полностью ему это не удалось — монголы бросили на мятежников войско нойона Неврюя (Невруя). Восстание было подавлено, Андрей бежал в Швецию. Александр стал единовластным великим князем всей Руси: Владимирским, Киевским и Новгородским. Великая ответственность перед Богом и историей легла на его плечи. В 1253 году он отразил новый немецкий набег на Псков, в 1254 году заключил договор о границах с Норвегией, в 1256 году ходил походом в Финскую землю, который привел к тому, что все Поморье было освоено русскими, а среди коренного населения распространилось православие.

В 1256 году умер Батый, а вскоре и Сартак отправился вслед за отцом (скорее всего, был отравлен соперниками в борьбе за власть). Великим ханом стал брат Батыя — Берке. Александр в третий раз поехал в Сарай, чтобы подтвердить мирные отношения Руси и Орды. Хотя Берке выбрал ислам, его, как и предшественника, православная Русь в качестве союзника более чем устраивала. Поэтому он в 1261 году позволил учредить в Сарае, столице Золотой Орды, епархию Русской Православной Церкви, к чему немало усилий было приложено Александром и митрополитом Кириллом. Александр видел в этом шанс для широкой, если не всеохватной христианизации монголов-язычников, угадывая в этом историческое призвание Руси. Князь использовал любую возможность для возвышения родной земли и облегчения ее нелегкой судьбы. В 1262 году во многих русских городах были перебиты баскаки — татарские сборщики дани и вербовщики, в то время как хан Берке хотел набрать воинов для войны с правившим в Передней Азии ханом Хулагу. Но Александр Невский вновь поехал в Орду и мудро направил события совсем в иное русло: ссылаясь (по совету Александра) на восстание в русских землях, Берке сначала прекратил делиться данью с Монголией, а потом и вовсе провозгласил Золотую Орду самостоятельным государством, сделав ее тем самым заслоном для Руси с Востока. В этом великом соединении русских и татарских земель и народов зарождалось будущее многонациональное Российское государство, включившее впоследствии в свои пределы почти все, что завоевали Чингисхан и его потомки, от берегов Волги до Тихого океана.

Эта дипломатическая поездка Александра Невского в Сарай была четвертой, успешной, как и все предыдущие, и последней. Свой долг перед родиной и Богом он выполнил. Но и силы были отданы все. На обратном пути из Орды Александр смертельно занемог. Не доехав до Владимира, 14 ноября 1263 года князь скончался в монастыре в Городце.

Митрополит Кирилл сказал в надгробном слове: «Чада моя милая, разумейте, яко заиде солнце Русской земли». Спустя девять дней тело князя доставили во Владимир. 23 ноября, при погребении его в Рождественском монастыре, случилось «чудо дивно и памяти достойно». Когда тело Александра поместили в раку, эконом Севастьян и митрополит Кирилл хотели разжать ему руку, чтобы вложить напутственную духовную грамоту. Мертвый уже девять дней князь сам простер руку и взял грамоту из рук митрополита. «И объял их ужас, и отступили от гробницы его». Так прославил Бог своего угодника — святого воина-князя Александра Невского. Общецерковное прославление святого Александра Невского совершилось при митрополите Макарии на Московском Соборе 1547 года.

Житие святого Александра Невского известно в нескольких редакциях. Первоначальная редакция была написана через двадцать лет после его кончины во Владимирском Рождественском монастыре, который был центром церковного почитания святого князя (там теперь стоит ему памятник). Она сохранилась в составе Лаврентьевской и Псковской Второй летописи. Вторая редакция вошла в Новгородскую Первую летопись. Все прочие известные редакции относятся к XVI и XVII векам. Подвиги князя по защите Русской церкви от крестоносцев и иных захватчиков, его отповедь послам папы римского сделали святого Александра Невского любимым князем русского духовенства. В 1724 году по повелению Петра I мощи святого были перенесены в Александро-Невский Свято-Троицкий собор в Петербурге. Изъятые большевиками в 1922 году, они были возвращены Церкви спустя 67 лет. Мужественный образ защитника земли Русской оказался нужен и Советской власти, особенно в годы Великой Отечественной войны, вдохновляя бойцов на подвиги, а снятый еще в предвоенные годы фильм «Александр Невский» входит в золотой фонд мирового кино.

Примерно так выглядит биография святого благоверного князя Александра Невского с точки зрения Русской православной церкви.

Тем не менее последствия деятельности Александра Ярославича для русского государства мало с чем могут быть сравнимы — разве что с крещением Руси его выдающимся (во всех отношениях) предшественником, великим князем Владимиром Святославичем.

Благодаря тому, что ко временам монгольского нашествия на Руси уже было достаточно грамотных людей, о жизни Александра Невского, о людях, его окружавших, и о событиях, так или иначе связанных с личностью этого русского князя, сохранилось довольно много сведений. Например, в отличие от биографии того же Владимира Святого, мы знаем точные даты, между которыми заключена вся жизнь Александра Ярославича. Посему уточнению хронологии событий будет уделено гораздо меньше внимания. И гораздо больше — самим событиям и его роли в них.

Детство Александра в летописях и житии все же освещено мало. Впрочем, если и случилось в его отроческие годы что-то необычное, предопределившее его дальнейшую жизнь, записей об этом не сохранилось.

Как уже говорилось выше, отец его, Ярослав Всеволодович, был младшим сыном великого князя Владимирского Всеволода, при котором Владимирское княжество достигло наивысшего своего могущества. Дед Александра был десятым сыном Юрия Долгорукого и младшим братом Андрея Боголюбского. У Всеволода было 12 детей (в том числе 8 сыновей), за что он и получил прозвище «Большое Гнездо». Как и Владимир Святой, Всеволод попытался изменить порядок престолонаследия, только ему это удалось. Впрочем, все равно это вызвало междоусобную войну. Ярослав в споре между Константином и Юрием поддержал Юрия, которому Всеволод Большое Гнездо оставил Владимирское княжество. Юрий не забыл верности брата и спустя много лет. Именно поэтому в 1236 году он помог Ярославу утвердиться в Киеве. А в 1238 году, когда вся семья Юрия была вырезана монголами после взятия Владимира, а сам Юрий месяц спустя погиб в бою с войском Бурундая на реке Сить, именно Ярослав вокняжился во Владимире как старший из оставшихся братьев.

Александр же продолжал княжить в Новгороде. Успел построить ряд укреплений по реке Шелони — ливонские рыцари все ближе подбирались к Пскову.

Наступил 1240 год, лето приближалось к середине. Вольнолюбивые новгородцы косо посматривали на молодого князя, уже успевшего показать им свой крутой норов. Однако терпели — на соседних землях было слишком уж неспокойно.

Между шведскими и новгородскими владениями лежала Ижорская земля. Ижорцы, в большинстве своем язычники, прежде изрядно досаждали шведам своими набегами. Однако к появлению Александра Ярославича в Новгороде ситуация успела поменяться — теперь уже шведы устраивали рейды по балтийскому побережью, попутно ставя церкви и обращая уцелевших язычников в католичество. Пока, впрочем, только с финской стороны. Русские же осваивали регион гораздо менее активно и куда как более миролюбиво. Посему к ним и их вере местные племена относились с большим уважением. И выставленные новгородцами посты, выражаясь современным языком, «береговой охраны» не трогали. Более того, в тот момент эти посты возглавлял принявший православие старейшина из местных. Именно он и обнаружил в начале июля идущий к устью Невы шведский флот и послал гонца в Новгород...

Случившееся 15 июля 1240 года сражение было поименовано Невской битвой и до сих пор остается одним из самых известных событий в русской военной истории. Однако первое известное письменное упоминание о битве обнаруживается в житии Александра, написанном через 20 лет после его смерти — и более чем через 40 лет после самой битвы. Второе представляет нам Новгородская первая летопись старшего извода, в своей второй части, освещающей события 1234–1330 годов (и, по всей видимости, переписанной в 1330 году одной рукой, с приписками о событиях 1331–1352 годов разными почерками; то есть невозможно установить, когда была сделана исходная запись о Невской битве). Ни одна из современных русских летописей о ней не упоминает. Как, впрочем, и шведские хроники ничего не сообщают о крупном поражении — лишь о походе небольшого отряда в русские земли, в рамках крестового похода в Финляндию. Впрочем, это вполне объяснимо.

Русские источники утверждают, что шведский отряд возглавлял ярл Биргер. В тогдашней Швеции звание ярла (которое можно условно перевести как «князь», хотя это должность, а не титул) автоматически означало, что его носитель является формально вторым человеком после короля, а фактически — реальным правителем королевства, так как короля в Швеции избирали и права его были существенно ограниченны (как ни дико это звучит для нашего уха). Но в 1240 году ярлом был не Магнус Биргер, а Ульф Фасе (который умер в 1248 году, и только тогда ярлом стал Биргер). Правда, в 1237 году Биргер женился на сестре короля, но для зятя короля командовать «небольшим отрядом» — это слишком мало, а «большим войском» — слишком много. К слову, на тот момент Биргер был примерно на пять лет старше Александра, а жена его приходилась новгородскому князю дальней родственницей — четвероюродной племянницей.

Новгородская первая летопись старшего извода упоминает об участии в походе на шведской стороне воинов из племен сумь и емь, а также католических епископов. Та же летопись, хотя и весьма кратко сообщает о ходе битвы, все же сообщает, что среди убитых был шведский «воевода... именем Спиридон», а также неназванный епископ (в ряде иных источников названный Томасом). Впрочем, шведские хроники не подтверждают ни гибели епископа, ни того, что Биргер покидал пределы Швеции в 1240 году. Спиридоном, правда, звали новгородского епископа, благословлявшего Александра на бой. Странное совпадение, не правда ли?

Все же сравнительно недавно версия о том, что Биргер все-таки побывал в устье Невы, получила подтверждение. В 2002 году могила ярла, пережившего Александра Невского на 3 года, была вскрыта, и череп его имел явные признаки описанного в русских летописях ранения в голову.

Утверждается, что битва, начавшаяся не самым ранним утром, продолжалась до темноты. После чего победившие русские, забрав своих убитых и раненых, отошли, позволив шведам сделать то же самое. То ли из благородства, то ли просто не желая увеличивать потери. Шведы, потерявшие до нескольких сотен человек только убитыми и несколько кораблей, отступили к уцелевшим кораблям, похоронили убитых в огромной яме, потом переправились на другой берег и ночью же уплыли.

Численность сил обеих сторон неизвестна даже предположительно. Русские потери оценены в несколько десятков человек (в том числе около 20 знатных дружинников), шведские можно оценивать от нескольких десятков до нескольких сотен. Летопись говорит, что убитых шведов было «бещисла», житие Александра упоминает о том, что местные жители на следующий день нашли на другом берегу множество непогребенных чужаков.

По одной из существующих версий, поход шведского отряда был согласован с крестоносцами, однако те не успели к месту встречи и вынуждены были вернуться, узнав о победе русских. Во всяком случае, действовать совместно они больше не пытались.

Надо думать, что князя встретили в Новгороде как героя. Тем более что многие видели его в гуще битвы, а не стоящим в сторонке и молящимся. Однако из-за страха перед тем, что после победы роль Александра в ведении дел может существенно возрасти, ревниво относившиеся к посягательствам на свои вольности новгородские бояре рассорились с князем. Не исключено, что ощутивший себя героем молодой князь дал им повод для таких опасений. Так или нет, но Александр уехал к отцу, который отдал ему Переславль-Залесский, но уже через год новгородцы сами стали просить Александ-

ра вернуться — после того, как немцы заняли
Псков, построили в Копорье крепость, разорили поселения вдоль реки Луги и уже грабили
купцов на расстоянии одного пешего перехода
от Новгорода. Сначала Ярослав отправил к ним
Андрея, но новгородцы продолжали настаивать
на возвращении Александра, чьи способности
им уже были известны. В итоге Александр вернулся в Новгород. В конце 1241 года было взято
штурмом Копорье, при котором была переби-
та большая часть немецкого гарнизона. Дере-
вянную крепость (построенную немцами в 1237
году) разрушили. Уцелевшие рыцари и наем-
ники позже были отпущены, а вот к местным
жителям из племени чудь, которые, что называется, «сотрудничали с оккупантами», князь не
был так добр — многие из них были повеше-
ны. В начале следующего, 1242 года Александр,
зная, что ратники из Суздальского княжества,
ведомые его братом Андреем, уже на подходе,
со своей дружиной выступил к Пскову. В марте
город был окружен и взят, немецкий гарнизон
перебит, псковские бояре-предатели казнены,
оба фогта (рыцаря-наместника) в оковах отправлены в Новгород. В этот раз новгородцы
переиграли крестоносцев по времени — те к
этому моменту успели лишь сконцентрировать-
ся возле Дерпта (нынешнего Тарту), собирая
силы со всей Ливонии. Новгородское войско

двинулось в глубь вражеской территории, разоряя все на своем пути — главным образом поселения эстов и чуди. Но вскоре передовые отряды напоролись на основные силы возглавляемых крестоносцами войск, идущих на Новгород, и были разгромлены. Версия о том, что Александр сумел вычислить маршрут немцев, имея лишь некоторый минимум непроверяемой информации, и выйти им на перехват, выглядит слишком уж... сказочной. Более правдоподобно предположение, что сумевшие удрать от немцев остатки разбитых передовых отрядов Домаша Твердиславича и Кербета «къ князю прибегоша в полкъ», как об этом прямо говорит Новгородская первая летопись старшего извода. Войско Александра отступило к Чудскому озеру. К чести князя и его войска, драпать до самого Новгорода они все же не собирались. Так что, когда авангард захватчиков ступил на лед озера, их там уже ждали...

Существует изрядная путаница относительно того, что в действительности случилось на льду Чудского озера утром в субботу 5 апреля 1242 года. Оба войска были достаточно разношерстными — русское включало в себя дружину князя, ополченцев и разнообразные, но не слишком многочисленные формирования, плюс приведенное Андреем Ярославичем суздальское «низовое» войско, тоже сборное, по большому счету. В немецком же, помимо самих рыцарей ордена, были их слуги и воины, кнехты (пешие немцы-наемники), отряд датских вассалов ордена, выставленное дерптским епископом ополчение, состоявшее в основном из эстов и чуди.

В общих чертах исход битвы нам известен — русские победили. Но сами детали сражения...

Все же сначала немного цифири. Силы Новгорода оцениваются по максимуму примерно в 15–17 тысяч человек, ордена и его вассалов — 10–12 тысяч. Даже если не считать эти цифры явно завышенными (это ж сколько месяцев должно было уйти на то чтобы собрать всех этих людей, учитывая тогдашние дороги и средства связи), не стоит переоценивать численный перевес русского воинства. Сам по себе этот перевес ничего новгородцам не гарантировал — доля «профессионалов» по обе стороны была невелика (дружина князя с одной, собственно рыцари ордена — с другой). Основная масса была плохо обучена и так же плохо вооружена — по обе стороны.

О русских потерях сказано в летописи кратко — «много храбрых воинов пало»...

Потери же немцев обозначены немного более конкретно. Все та же Новгородская первая летопись старшего извода говорит о павших чудинах «бещисла», 400 убитых немцах (в Псковской третьей летописи их стало 500) и о

50 пленных. Ливонская «Рифмованная хроника» — о 20 убитых и 6 попавших в плен рыцарях (она же утверждает, что на одного рыцаря набрасывалось до 60 ратников, что выглядит не слишком правдоподобно — неужели они друг другу не мешали?), более поздняя и отлакированная «Хроника Тевтонского ордена» признает гибель 70 рыцарей, но при взятии Пскова и в Ледовом побоище разом.

Некоторые отечественные историки с легкостью устраняют противоречие, объясняя подобное расхождение тем, что ливонский источник учитывает только братьев ордена, а русский — также их слуг и простых воинов («не-рыцарей»). Напомню, что убитых, пленных и просто разбежавшихся эстов и чудинов никто не считал вовсе. Так что если учитывать общее число участников Ледового побоища с каждой из сторон, то еще неизвестно, чье войско поредело в большей степени — как «просто по числу голов», так и в процентном отношении.

И все же если войско ордена действительно насчитывало не менее 10 тысяч человек, почему оно дрогнуло и побежало, потеряв едва ли 5% своего личного состава, пусть даже это была самая боеспособная его часть? Известные нам детали битвы позволяют сделать вывод, что новгородцы пропустили в ловушку авангард из немцев-кнехтов, чудинов и собственно рыцарей, после чего фланговые отряды замкнули кольцо окружения, отсекая арьергард. Вряд ли новгородцы, возглавляемые таким выдающимся полководцем, имея к тому же численный перевес, стали бы окружать меньшую часть войска. То есть общая численность задействованных в битве сил явно завышена в несколько раз, даже если данные о немецких потерях в русских источниках достоверны.

И еще один миф, родившийся в XVI веке и крепко вросший в массовое сознание благодаря снятому в 1938 году фильму «Александр Невский». Это миф о том, что большинство рыцарей погибло, просто провалившись под лед. Весна, мол, на дворе была, лед тонкий. Однако сторонники этой сказки забывают, что русский дружинник в полном вооружении в массе мало уступал немецкому рыцарю, так что наверняка ушел бы под лед вместе с ним — однако никто не говорит об утонувших русских воинах. Да и немцы не в первый раз шли в бой в тех краях, так что, если бы лед был слишком тонким, они бы поняли это еще до начала сражения. Если они сунулись на лед, значит, были уверены в его прочности. Относительно ровный лед был для них весьма удобен, так как облегчал разгон тяжелому всаднику. Впрочем, возможно, что сражение и вовсе происходило на берегу, и лишь отступали немцы по льду озера...

Все же — насколько выдающимся событием является Ледовое побоище? Увы, но это было достаточно обычное сражение тех времен, хотя для ордена оно действительно означало конец неудачной кампании 1240–1242 годов. Если судить по «Хронике Ливонии» (написанной в 1225–1227 годах Генрихом фон Леттландом), в русских походах в Прибалтику в первой четверти XIII века, как правило, участвовало примерно столько же воинов, сколько Александр привел к Чудскому озеру. Потери сторон в Ледовом побоище также не были запредельными. Для сравнения, битва при Сауле (ныне — город Шяуляй в Литве) в 1236 году проделала в ордене меченосцев куда большую дыру — от рук литовцев, заманивших конных крестоносцев на болотистую местность, погибли магистр ордена и 48 братьев-рыцарей, после чего остатки меченосцев вынуждены были влиться в Тевтонский орден. К слову, из той битвы вышли живыми лишь два десятка из двух сотен псковичей, воевавших в тот раз на стороне меченосцев (результат попыток псковских бояр наладить отношения с орденом, чтобы воспрепятствовать поглощению Пскова Новгородом). Советские историки очень не любили вспоминать про эту битву, поскольку она не вписывалась в миф о том, как народы Прибалтики вместе с русскими били немецких псов-рыцарей (а тут русские вместе с немцами и эстонцами пытались побить литовцев... неудачно). А битва при Раковоре в 1268 году была грандиознее как по численности войск, так и по числу потерь — с немецкой стороны в ней погибло больше, чем участвовало в Ледовом побоище. Но ее тоже задвинули подальше, поскольку в ней отличился псковский князь Довмонт (крещеный Тимофеем), неудачливый конкурент Миндовга в борьбе за власть в Литве.

Однако вернемся к Ледовому побоищу и его последствиям. В 1243 году орден был вынужден подписать перемирие с Новгородом и отказаться от всех территориальных претензий. Впрочем, десять лет спустя тевтонцы снова попытались завоевать Псков. Об этом, возможно, еще вспомним, но пока жизнь будущего святого делает очередной крутой поворот...

В том же 1243 году отец Александра, Ярослав Всеволодович, великий князь Владимирский, стал первым русским князем, добровольно поехавшим на поклон к монгольским ханам. Точнее, это Батый вызвал его в Золотую Орду. Но Ярослав оказался прагматичнее своего старшего брата — не стал бросаться в драку, а сумел задобрить хана. Детали их встречи неизвестны, однако из Орды Ярослав вернулся с ярлыком на великое княжение не только во Владимире, но и в Киеве. Разоренный монголами Киев больше не тянул на роль «матери городов русских», и Ярослав вернулся во Владимир — в Киев отправился его наместник. В 1245-м Батый снова вызвал Ярослава в Орду. Часть вопросов решилась там, и приехавшие с Ярославом братья и племянники отправились восвояси. Ярослав же отправился дальше, в столицу Монголии Каракорум — представляться великому хану. Его умение «прогибаться под изменчивый мир» не осталось незамеченным — новый великий хан Гуюк утвердил за ним ярлык на княжение в Киеве и Владимире. Увы, Владимира великий князь не увидел — 30 сентября 1246 года он скоропостижно скончался в Каракоруме. По всей видимости, отец Александра был отравлен. Был ли в этом действительно замешан один из приехавших с ним бояр или это монголы сами избавились от одного из самых влиятельных русских князей — неизвестно. Однако за десять дней до этого там же был казнен князь Михаил Черниговский — будто бы за отказ пройти монгольский обряд, неприемлемый для него как для христианина. Хотя, возможно, Михаил просто недостаточно убедительно изобразил покорность?

А что же Александр, защитивший Русь от «поганых латинян»? Как он отреагировал на известие о странной смерти Ярослава Всеволодовича?

Уже в следующем, 1247 году он вместе с братом Андреем выехал в Орду к Батыю. Источники умалчивают о том, где Александра застала весть о кончине отца. Но, учитывая расстояния и тогдашние скорости, рискну предположить, что это случилось не раньше, чем по прибытии в столицу Орды. Герой Невской битвы оказался достойным сыном своего отца — он сумел найти с Батыем общий язык, и хан был склонен отдать ему ярлык на великое княжение во Владимире. Однако по завещанию Ярослава владимирский престол должен был достаться Андрею, а Александру — киевский. Видимо, именно тогда между братьями пробежала, как говорится, черная кошка. Во всяком случае, упоминание о «распре великой» в летописях есть. Из Золотой Орды братья, как и отец, отправились дальше, в Каракорум. Несмотря на конфликт между Батыем и Гуюком и смерть последнего во время похода на Батыя, Владимирское княжество все же досталось Андрею. Александр и Андрей отсутствовали на Руси около двух лет. В это время великим князем Владимирским был их дядя Святослав (в 1248 году четвертый сын Ярослава Михаил Хоробрит согнал дядю с престола, однако вскоре погиб в бою с литовским войском). Александр смысла ехать в разоренный Киев не видел и вернулся в Новгород.

В 1251 году великим ханом стал союзник Батыя — Мунке (Менгу). И через год Александр снова отправился в Золотую Орду. Примерно в это же время вспыхнул бунт в русских городах, во главе которого оказался Андрей Ярославич. Это была первая попытка организованного сопротивления монголам. Достоверно неизвестно, почему брат Александра встал во главе восстания — то ли действительно душа болела за родину, то ли просто у него не сложились отношения с Батыем — ведь ярлык на владимирское княжение он получил от вдовы Гуюка, которая с Батыем не ладила, как и покойный великий хан. И Андрей вполне мог опасаться не вернуться из Орды — ведь и он получил «приглашение» приехать в Сарай...

В житии Александра о том, что случилось потом, говорится так: «разгневался царь Батый на меньшего брата его Андрея и послал воеводу своего Неврюя разорить землю Суздальскую». Иначе говоря, попытка оказалась неудачной. Андрею Ярославичу пришлось бежать сначала к брату Ярославу в Переяславль, а затем, когда монголы докатились и туда, разорив город и убив множество людей (погибла и семья Ярослава), к тем самым шведам, которых его брат громил на Неве (Ярослав, бежавший с ним, дальше Ладоги не поехал), а монголы огненным вихрем прошлись по мятежным городам.

Православные источники утверждают, что, если бы, мол, не Александр, все эти земли пришли бы в полное запустение: «...После разорения Неврюем земли Суздальской князь великий Александр воздвиг церкви, города отстроил, людей разогнанных собрал в дома их». Однако есть версия о том, что Александр сам попросил Батыя отправить «карательную экспедицию» (В.Н. Татищев в своей «Истории Российской», цитировал некий неназванный источник, говоривший, что «жаловася Александр на брата своего великого князя Андрея, яко сольстив хана, взя великое княжение под ним, яко старейшим, и грады отческие ему поймал, и выходы и тамги хану платит не сполна»). Более того, возможно, что под именем «Неврюя» фигурирует сам Невский — так могло звучать его прозвание по-монгольски. Во всяком случае, дополнительным аргументом в защиту данной гипотезы выглядит то, что этот загадочный Неврюй — полководец достаточно высокого ранга, чтобы командовать целым туменом («тьмой», как называли такое войско русичи; обычно около 10 тысяч всадников) — нигде и никогда больше не фигурирует. Ни до ни после. То есть возник из ниоткуда, пронесся по Руси и пропал, причем сведений о его гибели во время этого рейда или вскоре после него тоже нет. И это притом, что монголы часто воевали и любой воин, до-

росший до «туменбаши» (или в русском переложении «темник»), должен был упоминаться
не однажды в хрониках покоренных земель.
Новгородская же четвертая летопись называет
Неврюя «царевичем», что тоже косвенно ука-
зывает на Александра — побратавшегося с Сар-
таком, сыном Батыя, а значит, приравненного к
сыну хана.

Так или нет, но мечта Александра сесть на
великокняжеский престол во Владимире сбы-
лась. То, что занял он его не как наследник своего отца, не как избранник народа, а благодаря ярлыку на княжение от Батыя, князя если и
огорчало, то не сильно.

И тут — точнее, в 1253 году — на новгородские земли снова вторглись крестоносцы.
В Новгороде теперь княжил старший сын Александра Василий (впрочем, князем он являлся
чисто номинально — вряд ли ему было более
13 лет). Немцы были отбиты, более того, раз-
биты еще раз уже на своей земле. Спустя три
года снова появились некогда битые шведы,
опираясь на заложенную еще в 1223 году датча-
нами крепость Нарва, и тоже были биты. Но за
год до шведского вторжения и «ночного похода» новгородцы снова проявили свое свободо-
любие — Василий Александрович был изгнан,
а на княжение приглашен его дядя Ярослав
Ярославич. Обычное, в общем-то, для Новгоро-

да дело — и Александр, и его отец и уходили из города, и возвращались, так было и до них. Однако теперь, как написал об этом Н.И. Костомаров в своей книге «Русская история в жизнеописаниях ее главнейших деятелей», «Александр, чувствуя свое старейшинство и силу, готовый найти поддержку в Орде, поднял голову и иначе показал себя, что в особенности видно в его отношениях к Новгороду».

Александр заставил Новгород принять Василия обратно, а посадника Ананию, защитника прежних вольностей, заменить его ставленником Михалкой Степаничем. Причем поначалу Александр требовал выдать ему Ананию и лишь потом, поняв, что дело может кончиться кровью, умерил свои требования. Событие это означало крутой поворот в новгородской жизни. Костомаров писал об этом: «Не было еще примера, чтобы великий князь силою заставил принять только что изгнанного ими князя. Александр показал новгородцам, что над их судьбою есть внешняя сила, повыше их веча и их партий — сила власти старейшего князя всей Руси, поставленного волею могущественных иноземных завоевателей и владык русской земли. Правда, что Александр, вступивши в Новгород, обласкал новгородцев, заключил с ними мир на всей вольности новгородской, но в проявлении его могучей воли слышались уже предвестники дальнейшего наложения на Новгород великокняжеской руки».

Пока Александр ходил в поход в Финскую землю, умер Батый. В 1257 году монголы устроили перепись на Руси, чтобы упорядочить сбор дани. Во Владимирской, Муромской и Рязанской землях, по которым монголы уже прокатились огненным валом, перепись не встретила заметного сопротивления. Но в Новгороде, куда захватчики не дошли, она была сорвана — новгородцы не хотели платить дань тем, кто их не победил. Возглавляемые посадником Михалкой «большие люди» (бояре и богатые купцы) уговаривали горожан покориться. Но «меньшие» взбунтовались. Юный князь Василий либо отнесся с пониманием к чувствам новгородцев — либо оказался не способен им противостоять. Но ссориться с отцом не хотел и ушел (фактически сбежал) из Новгорода во Псков. Оставшийся без княжьей поддержки посадник был растерзан разбушевавшимися горожанами.

Великий князь Александр лично явился усмирять непокорных новгородцев. Но не один и не только со своей дружиной — в сопровождении ордынских «послов». От монголов город в тот раз отделался богатыми дарами. Разъяренный Александр отправил Василия в Суздаль (освободившийся «стол» достался младшему брату Василия — семилетнему Дмитрию). Новгородцам повезло меньше — бояр из числа тех, кто был заодно с «меньшими» и кто, по его мнению, сбил его сына с пути истинного, Александр жестоко наказал — как написано в летописи, «овому носа урезаша, а иному очи выимаша». О числе наказанных летопись умалчивает...

Н.И. Костомаров найденные им в летописях записи об этих событиях откомментировал словами: «Такова была награда, какую получили эти защитники новгородской независимости в угоду поработителям от того самого князя, который некогда так блистательно защищал независимость Новгорода от других врагов».

Вернувшись в 1259 году из своей третьей поездки в Орду, Александр снова наведался в Новгород и, угрожая татарским погромом (люди князя распустили слух, что к Новгороду идет монгольское войско), добился от новгородцев согласия на перепись и дань.

Об этом Костомаров писал: «С тех пор Новгород, хотя не видал после у себя татарских чиновников, но участвовал в платеже дани, доставляемой великими князьями хану от всей Руси». Костомаров оправдывал это тем, что «...Эта повинность удерживала Новгород в связи с прочими русскими землями...» Возможно. Но... неужели иначе Новгород стал бы немецким городом?

Чем же татары лучше немцев? Многие исследователи ссылаются на первую поездку князя в Орду и дальше в Монголию, где он, мол, мог лично убедиться в бесперспективности сопротивления монгольской мощи, а также в веротерпимости этих язычников — в отличие от западных христиан, они лишь порой грабили храмы, но не убивали только за принадлежность к православию — лишь за неподчинение.

Однако трудно воспринимать тех же шведских рыцарей или крестоносцев как серьезного противника, несущего угрозу «всея Руси». Да, Тевтонский орден против одного какого-то не слишком сильного княжества — серьезный противник. Однако били же их те же литовцы (причем результат оказался равнозначным отбрасыванию ордена почти к самому началу их завоеваний), не говоря уже о новгородцах и наследниках Невского. И неужели сотня рыцарей-немцев — главная сила ордена — страшнее монгольского тумена, всего лишь одного из многих? Немцы вторгались лишь на северные окраины Руси (литовские и польские князья имели от них куда больше проблем), монголы же разорили большую часть русских земель, тысячи людей были замучены или угнаны в рабство. Русь была отброшена в своем культурном и экономическом развитии едва ли не к началу распространения православия. Уже говорилось выше и о том, что, мол, Александр склонился перед ханом, потому что побить монголов не было никакой возможности. Но это тоже сильное преувеличение — пример литовских князей или того же Даниила Галицкого показывает, что бить кочевников было возможно.

Увы, Александр предпочел союз с монголами — ибо он обессиливал Русь, но усиливал его личную власть. Вряд ли он стал бы великим князем, если бы не монголы, ставшие причиной смерти его дяди, отца, многих родственников...

Но как же его подвиги в борьбе с угрозой «латинян»? Взять Невскую битву — это «грандиозное» сражение было выиграно силами княжеской дружины, усиленной ладожскими ополченцами. Князь не собирал вече и вызывал подмогу из других княжеств. Почему это не должно указывать на незначительность сражения? Ведь нам же говорили о полководческом гении Александра, а не о его безрассудной смелости... А Ледовое побоище? Противостояние северных русских княжеств и европейских рыцарей вполне могло тянуться веками — и никто бы не имел существенного перевеса. Ведь даже Грюнвальдская битва 1410 года не означала для современников окончательного разгрома крестоносцев, хотя ее-то от Ледового побоища отделяли почти два столетия. По большому счету, в досоветский период оно упоминалось даже не в каждом учебнике по истории — Невская битва была более популярной, сражению на Чудском озере отдавали должное лишь специалисты по военной истории. Весьма вероятно, что на советских историков определенное влияние оказала «магия чисел» — бой на Чудском озере и Сталинградскую битву разделяли ровно семь веков. 1242 год — и 1942-й... Показательно, что пика своего суета вокруг имени Александра Невского достигла при Сталине — начавшись накануне Великой Отечественной и утихнув в 1950-е годы.

Итак, реальному разорению и запустению Руси при монголах принято противопоставлять чисто гипотетическую угрозу из Европы (ведь каждый раз, когда завоеватели приходили оттуда — Наполеон, Вильгельм, Гитлер — все они были биты). Зачем? Да затем, чтобы оправдать прямое сотрудничество Александра (да и других князей) с захватчиками. Ведь это сотрудничество князьям было выгодно — ведь не вся собранная дань уходила в Орду (да уж, традиция «прилипания к рукам» имеет давние корни), да и власти у конкретного князя становилось больше, как ни странно, — ведь прежде он был в большей степени наемным гражданским и военным администратором, пусть и высокородным, но вынужденным уважать мнение тех, кто его пригласил на княжение — и которого всегда могли «попросить». Теперь же властители земли русской все больше превращались в деспотов азиатского разлива. Монголам же было проще иметь дело с прикормленными князьями, чем каждый раз усмирять вольных людей, свободно высказывающих свое мнение на вечевых сходах. А так — не монгольские баскаки, а дружинники русских князей держали русский же народ в узде...

И снова — слово Н.И. Костомарову, историку церкви и верующему человеку:

«...Духовенство более всего уважало и ценило этого князя. Его угодливость хану, уменье ладить с ним, твердое намерение держать Русь в повиновении завоевателям и тем самым отклонять от русского народа бедствия и разорения, которые постигали бы его при всякой попытке к освобождению и независимости, — все это вполне согласовалось с учением, всегда проповедуемым православными пастырями: считать целью нашей жизни загробный мир, безропотно терпеть всякие несправедливости и угнетения, покоряться всякой власти, хотя бы иноплеменной и поневоле признаваемой». Мало что к этому можно добавить...

И все же — почему христианство «латинского обряда» выглядело для православного духовенства более опасным врагом, чем язычество кочевников (которые, к тому же, не облагали духовенство данью)? Да потому, что две ветви одной веры можно было сравнивать. И не факт, что сравнение оказалось бы в пользу православия (я не о том, что якобы католичество или еще какая конфессия лучше — я о том, что изобрели пресловутый пиар не у нас). Чем еще объяснить, что в житии святого Александра Невского речь идет о сражениях? Тем, что битвам этим придано не политическое или патриотическое, а религиозное значение. Не зря же шведский монарх выступает там как «король Римской веры из Полуночной страны» — конкретно названа вера врага, а не страна, откуда он пришел. Вот только еще внимание к угрозе с Запада отвлекало от осознания того факта, что и Александр, и превозносившее его духовенство сотрудничали с захватчиками, разорявшими и опустошавшими их родину. К большой для себя выгоде. И честно отрабатывали оказанное доверие — один старательно собирал дань со своих подданных, другие призывали покориться...

И не случайно князь Александр назван благоверным, а не праведником — кем-кем, а праведником он не был... Впрочем, как и многие князья до и после него, на смертном одре принял схиму... Что ж, в рай хочется всем...

Князья Василий и Константин Ярославские

Эти братья, сыновья Всеволода Константиновича, первого ярославского князя, тоже имеют свое место в числе православных святых.

Жить им пришлось в трудное для Руси время — самое начало монгольского нашествия. В 1236 году на русские земли пришли полчища Батыя, предавая огню и мечу все на своем пути. Разорены были многие города и веси, и отец братьев — князь Всеволод, присоединившись к своему дяде, великому князю Владимирскому Георгию Всеволодовичу, принял участие в походе русских князей против захватчиков. Но силы оказались неравны. В битве на реке Сить в 1238-м русское войско потерпело сокрушительное поражение. Многие князья не вернулись в свои уделы. Пали в этой кровавой битве и князь Всеволод, и великий князь Георгий.

Осиротевшие княжичи остались с матерью, старший — Василий — унаследовал престол. Несмотря на юный возраст, Василий проявил ум и волю, достойные зрелого мужчины. Брат его Константин оказался надежным помощником во всех делах.

Князь Василий управлял своей вотчиной, всячески уклоняясь от усобиц соседей, предпочитая битвам духовное утешение в заботах о благе родного княжества, залечивая раны, нанесенные монгольскими набегами, обновляя разоренные храмы, помогая вдовам и сиротам воинов, погибших на Сити.

В 1239 году князь Василий впервые отправился в Золотую Орду вместе с другими князьями «про свою отчину» (чтобы получить от хана ярлык на княжение) и был отпущен Батыем «с честью». В 1244 году он снова ездил в Орду с Владимиром Константиновичем, князем угличским и своим дядей. В 1245 году отправился к Батыю в третий раз, вместе с великим князем Ярославом Всеволодовичем. Вернувшись из Орды, Василий женился на княжне Ксении, с которой имел двоих детей — дочь Марию и сына Василия, умершего в раннем детстве. Переживший немало скорбных событий, князь Василий смиренно принимал все тяготы и невзгоды.

Увы, жизнь его была доброй и благочестивой, но недолгой. Зимой 1249 года князь Василий отправился во Владимир, чтобы встретиться с великим князем Александром Ярославичем (которого мы знаем как Невского). Но, едва прибыв во Владимир, князь Василий заболел и 8 февраля скончался. Гроб с его телом от Владимира до Ярославля сопровождали двоюродные братья Василия, князья ростовский и белозерский — Борис и Глеб Васильковичи, к ним присоединился и великий князь Александр — столь велико было их уважение к молодому, но зрелому духом безвременно почившему князю. Отпевал его Кирилл, епископ Ростовский. Гроб с телом был поставлен в Ярославском Успенском соборе.

Ярославский престол перешел к младшему брату Василия — Константину, который продолжил дело брата и немало усилий приложил к укреплению границ княжества. Но правление Константина тоже было недолгим. Монголы продолжали опустошать русские земли, несмотря на все договоры русских князей с Батыем. Их дикие ватаги перемещались из княжества в княжество, как саранча. В 1252 году разорению подверглось Суздальское княжество. В июле 1257 года монгольские отряды подошли к Ярославлю. Терпению ярославцев и их князя пришел конец — Константин с дружиной вышел навстречу захватчикам. На правом берегу реки Которосль 3 июля противники сошлись в кровавой сече. Многие ярославцы погибли. Пал и князь, отдав жизнь за веру и родину. Монголы взяли числом и умением, хотя и сами понесли большие потери. Разъяренные неожиданным сопротивлением монголы сожгли и разграбили Ярославль, после чего ушли. Возвышенность, на которой случилось сражение, с тех пор называется Туговой горой (от слова «туга», которое и сегодня означает «скорбь, печаль» — но уже в белорусском языке) — в память о слезах, пролитых вдовами и детьми павших воинов. Тело князя Константина было погребено рядом с телом его брата в Успенском соборе в Ярославле. Детей Константин оставить не успел. В 1260 году ярославский престол перешел к смоленскому князю Федору Ростиславичу, женившемуся на дочери Василия.

В 1501 году сильный пожар опустошил ярославский кремль. Сгорел и Успенский собор. Когда начали копать рвы под фундамент нового соборного храма, нашли два каменных гроба с нетленными мощами. Надписи на плитах, закрывающих гробы, указывали на то, что это мощи князей Василия и Константина. Мощи были перенесены из кремля в Борисоглебскую церковь. Великий князь Московский Иоанн III, узнав об этом событии, распорядился построить каменный собор взамен сгоревшего. В тот же год братья были причислены к лику святых. Впоследствии, бывая в Ярославле, Иоанн III не раз приходил поклониться святым мощам благоверных князей, от которых исходила чудесная исцеляющая сила.

В 1744 году новый большой пожар сильно повредил собор, пострадали и мощи святых князей. Останки их были собраны в ковчеги и положены в особую раку, находившуюся с южной стороны собора после его восстановления. В 1919 году большевики изъяли мощи. Лишь в 1989 году находившиеся в хранилище Ярославского исторического музея реликвии были возвращены Русской православной церкви и ныне сохраняются в Ярославском Феодоровском кафедральном соборе.

Что сказать — красивая легенда. Житие благоверных князей Василия Всеволодовича и Константина Всеволодовича Ярославских было составлено в конце 1520-х годов иноком Пахомием, который помимо жития написал также службу святым князьям и стихиры на день их памяти. Житие известно в списках XVI–XIX веков и содержит немалое количество ошибок, признаваемых в силу их очевидности и церковными историографами. Возможно, именно поэтому исходный текст жития никогда не публиковался, а большинство источников приводит его приглаженный и основательно подправленный с оглядкой на летописи пересказ. Какие ошибки? Например, Пахомий называет Василия Всеволодовича сыном не ярославского, а киевского князя, и даже утверждает, что Василий и сам княжил в Киеве. Не говоря уже о том, что великого князя Георгия, погибшего вместе с отцом братьев, князем Всеволодом, в битве на Сити, Пахомий именует братом, а не дядей

Всеволода. Но это уже мелочь по сравнению со всем остальным. Относительно кончины обоих братьев сей инок ошибается еще раз, сообщая, что оба они погибли при захвате Ярославля Батыем, при этом умудряется написать о монгольском хане, что тот был «родом града Ярославля от веси Череможския». Впрочем, по замечанию В.О. Ключевского, житие, написанное Пахомием, демонстрирует как изрядное украшательство в литературном отношении, так и полное равнодушие к фактической основе.

О князе Василии летописи говорят очень мало. Известно, что старший из братьев впервые упомянут под 1238 годом в числе князей из рода Всеволода Большое Гнездо, уцелевших после «Батыева погрома», а под 1239 годом — как один из князей, получивших от хана разрешение править в собственных владениях. Предполагается, что Василий родился не позднее 1229 года — что выводится, видимо, из того, что до своей кончины он успел жениться и даже дважды стать отцом. Причем поездки в Орду, занимавшие немало времени, явно не способствовали слишком уж раннему браку (что позволяет теоретически удлинить предполагаемый жизненный путь Василия Всеволодовича на несколько лет). Утверждение Пахомия, что князь Василий позаботился о семьях павших на Сити ратников, а также о восстановлении разорен-

ных монголами храмов, не находит подтверждения в Лаврентьевской и других летописях — в
записях, относимых ко времени до написания
жития, отражена (и то весьма скромно) лишь
политическая (выражаясь современным языком) деятельность князя. В 1244 году Василий
вместе с великим князем Владимирским Ярославом Всеволодовичем (дядей своего отца, а
также отцом Александра Невского и первым
великим князем, утвержденным не съездом
князей, а монгольским ханом, иначе говоря —
оккупантами) повторно ездил в ставку Батыя за
подтверждением ярлыка на княжение. В конце
1245 года Василий снова отправился в Орду, откуда вернулся в начале следующего 1246 года.
Причем так и осталось неизвестным, с какой
целью была совершена эта поездка, поскольку
миролюбивый князь Батыя вполне устраивал,
и никто вроде бы на его удел не претендовал.
Вернувшись в Ярославль, Василий женился на
Ксении, о которой летописи не сообщают ничего, кроме того, что она была княжеского
рода. У молодых супругов родились дочь Мария
(некоторые источники именуют ее Анастасией, другие же добавляют, что крестильное имя
Марии было Феодосия) и сын Василий (вскоре, увы, умерший — во всяком случае, умер он
раньше отца).

В самом начале 1249 года он прибыл во Владимир-на-Клязьме, чтобы встретиться с Александром Ярославичем, в тот момент номинально являвшимся великим князем Киевским (но жил он не в разоренном дотла монголами Киеве, а в любимом Новгороде, вотчиной имея также родной Переславль; во Владимире же великокняжеский престол занимал его брат Андрей... впрочем, это уже другая история... к тому же уже изложенная). Там, во Владимире, Василий Всеволодович тяжело заболел и вскоре умер. Тело его повезли домой. В траурной процессии, помимо уже названных князей, была и мать обоих братьев Васильковичей — княгиня Мария, дочь Михаила Черниговского (который, как и отец Александра Невского, не вернулся из далекой Монголии в 1246 году). Князь Василий был похоронен в Ярославле, в Успенском соборе.

Замечу, однако, что никаких прижизненных духовных подвигов в этих вполне обычных для того времени строках биографии князя Василия не просматривается. Неужели маломальски благочестивая жизнь для тогдашних русских князей была чем-то из ряда вон выходящим? И каждый, кто ее вел, достоин был причисления к лику святых? Что касается того, что летописи будто бы умалчивают о том, как князь заботился о сиротах и вдовах, о восстановлении храмов — скорее всего, нечего было об этом писать. Не заботился. Не до того было. Ничего предосудительного в том, что молодой князь пекся об укреплении дружины и границ, направляя на это все скудные ресурсы разоренного княжества и оставляя жертв войны на потом, я не вижу. Впрочем, и ничего похожего на проявления святости — тоже. Обычный прагматизм государственного деятеля, который, возможно, стал бы великим — если бы не преждевременная смерть...

Что касается младшего брата Василия, Константина, то тут повесть выйдет еще более короткой. Ибо Константин не упомянут ни одной летописью, завершенной до начала XVI века (хотя и занимал престол довольно долгий срок — от 6 до 8 лет). Нет его и ни в одной из родословных ярославских князей (лишь однажды он упомянут как сын князя Всеволода, без каких-либо дополнительных сведений). Неизвестна и дата его рождения. Не упоминается в ранних летописях XIII–XV веков и битва на Туговой горе, в которой то ли в 1257 году, то ли парой лет ранее будто бы сложил голову князь Константин. К слову, хотя на месте этого легендарного побоища еще в 1692 году была поставлена церковь в память о погибших, до сих пор там никто не проводил целенаправленных археологических раскопок. Да и просто на Туговой горе не находили ничего, указывающего на кровавую сечу. То есть и просто материального (раз уж нет документального) подтверждения сей будто бы исторический факт не имеет.

Собственно, со смертью Константина прервалась по мужской линии первая династия ярославских князей. Единственной наследницей оказалась малолетняя дочь Василия Мария, которую в начале 1260-х годов выдали замуж за Федора Ростиславича, князя можайского (обиженного братьями при дележе смоленских земель), который, став ярославским князем, впоследствии заполучил и смоленский престол. К слову, князь Федор, по прозванию Черный, тоже был причислен к лику святых, причем даже раньше Всеволодовичей. И даже имеет отношение к их посмертной истории, но об этом чуть позже. Вернемся к ярославским чудотворцам.

Обретение мощей святых братьев тоже содержит ряд сомнительных моментов. Например, то, что каменные плиты, служившие крышками их гробам, явно более поздние, чем должны были оказаться — что отмечалось уже тогда, в начале XVI века. Да и опознание мощей было выполнено не по пробам ДНК или радиоуглеродным методом (о которых никто и не мечтал в те далекие времена), а самым простым и по тем временам способом — прочитали имена на каменных плитах. Да и Иван Калита, он же великий князь Московский Иоанн III, приезжал в Ярославль для поклонения мощам

Василия и Константина Всеволодовичей, помещенным во вновь отстроенном Успенском соборе, лишь в 1504 году (то есть лишь три года спустя — срок немалый). По-видимому, к этому же времени (началу XVI века) следует отнести установление местного почитания святых князей-братьев.

В 1744 году сильный пожар, вспыхнувший в соборе, фактически уничтожил мощи, которые сгорели вместе с ракой и сенью. Причиной пожара стала неосторожность прислужников, которые гасили свечи и складывали их в ящик, стоявший очень близко от раки. Трудно сказать, что осталось от «нетленных мощей», тем не менее останки были собраны и заключены в два ковчега, помещены в новую раку. И даже являли новые чудеса.

Однако вернемся к житию, написанному Пахомием во время правления Василия Иоанновича (то есть между 1526-м и 1533 годами). Помимо уже описанных ошибок и вольностей примечательно оно и изрядной частью этих самых несоответствий. Сей инок не особенно утруждал себя изучением летописей, опираясь больше на сведения, предоставленные «заказчиком» — Кириллом III, архиепископом Ростовским и Ярославским, и на тексты других житий. Впрочем, задача создать исторически достоверный текст перед ним и не стояла.

В.О. Ключевский в своей книге «Древнерусские жития святых как исторический источник» в главе, посвященной «русским подражаниям до Макарьевского времени», уделил творению Пахомия особое внимание, причем рассматривал его в связке с житием упомянутого князя Федора:

«...Еще любопытнее состав другого ярославского сказания — о князьях Василии и Константине. В 1501 году в Ярославле сгорела соборная Успенская церковь, и когда начали разбирать обгорелые камни, нашли в церковном помосте два гроба с нетленными мощами; на гробах прочитали имена святых покойников, князей Василия и Константина. Последовал ряд чудес... Местное предание запомнило, что князья-чудотворцы были родные братья Всеволодовичи. Приняв это известие за основание своей повести, Пахомий начал ее предисловием, неловко составленным по предисловию серба Пахомия к житию митрополита Алексия или, вероятнее, по переделке его в рассмотренном Антониевом житии князя Феодора. У того же предшественника своего Антония выписал он характеристику князя Феодора, приспособив ее к своим князьям-братьям. Далее, нашедши в летописи известие, что князь Константин Всеволодович в 1215 году заложил в Ярославле каменную церковь Успения, биограф отнес это

известие к своему Константину, князю ярослав-
скому, смешав последнего с дедом его, умершим в 1419 году и погребенным во Владимире. Далее опять по Антонию он рассказывает о
нашествии Батыя и избиении русских князей,
прибавляя вопреки летописи, что они погибли
при взятии Ярославля 3 июля. В числе погибших здесь князей были и братья Всеволодовичи
ярославские, о которых повествует Пахомий.
Рассказ оканчивается сказанием о смерти Батыя в Болгарии, заимствованным также у Антония. По летописи, в татарское нашествие
погиб Всеволод Константинович Ярославский;
по родословной книге, у этого Всеволода было
двое сыновей, Василий и Константин. Первый,
по летописи, мирно скончался в 1249 году во
Владимире, где в то время находился случайно;
может быть, это и дало Пахомию повод назвать
его великим князем владимирским. О судьбе
Константина в летописях нет известий. Таким
образом, рассмотренные памятники ярославской агио- и биографий обнаруживают, с одной
стороны, большую заботливость украшать житие в литературном отношении, руководствуясь
образцами, с другой — такое же равнодушие к
его фактическому содержанию и к источникам,
из которых оно черпается».

Ключевскому житие Василия и Константина
Ярославских было известно в четырех списках,

два из которых содержали дополнительно статью о нахождении мощей в 1501 году и последовавших 15 чудесах, а четвертый оказался дополнен новыми ошибками: «говорится, например, об основании тем же Константином церкви Входа в Иерусалим в Спасском монастыре в 1218 году и об освящении ее в 1224 году епископом Симоном и этим князем. По летописи, это была церковь Спаса, заложенная в 1216 году и освященная в 1224 году епископом Кириллом при сыне Константина Всеволоде...»

К слову, житие князя Федора Ключевский все же счел достойным внимания историков — за включение заимствованного из несохранившейся местной летописи рассказа о смерти Батыя. В житии же ярославских чудотворцев не обнаружилось даже таких следов документальности.

Куда более жесткая характеристика этого, с позволения сказать, «сугубо литературного произведения» принадлежит Е.Е. Голубинскому, который в своей «Истории русской церкви» (1880) написал, что «сказание о князьях, написанное в первой половине XVI века ярославским монахом Пахомием, замечательно тем, что представляет собой чистое и, можно сказать, образцовое баснословие; в этом именно сказании читается классическая, так сказать, и какая-то совсем невероятная чепуха».

Прокопий Устюжский

Этот святой примечателен прежде всего тем, что стал первым русским святым, канонизированным в лике юродивого. Кроме того, что тоже редкость — он не был русским и православным по рождению. Он был немецким ганзейским купцом родом из Любека и католиком.

Когда родился Прокопий — неизвестно. Предположительно его имя до крещения было Гландэ Камбила, но и это нельзя утверждать с высокой степенью вероятности. Отец его принадлежал к богатому и знатному купеческому роду и погиб в ходе колонизации балтийского побережья, во время столкновения с пруссами. После этого молодой купец решил покинуть родные края и отправился в Новгород, о котором он знал лишь то, что это богатый торговый город, где живут язычники — ему, как католику, трудно было признавать их христианами. Он думал лишь продать свой товар и с прибылью вернуться домой. Но когда Прокопий прибыл в Новгород, то был поражен множеством и красотой храмов и монастырей, приятным слуху звоном колоколов. Увидев же набожность и усердие новгородцев в церковных службах, он поразился еще более, ибо не ожидал такого от людей, не признающих верховенства папы римского. Распалилось от того его любопытство пуще прежнего, и он вошел в храм Святой Софии и посетил потом другие церкви и монастыри, услышал стройное пение хора, увидел торжественность и благолепие обрядов, почувствовал благоговение в душах людей. И почувствовал Прокопий, как коснулась его благодать Божия, и умилился до глубины души. Вдруг понял он, как лживо то, во что он верил прежде, и что не хочется ему возвращаться на родину. Прокопий решился принять православие, и поиски привели его в Хутынский монастырь, недавно основанный и славившийся строгостью своих порядков и святостью своих иноков. Особенно трогали его сердце жития преподобных и Христа ради юродивых, добровольно подвергавшихся различным лишениям и трудам и при этом еще старавшихся скрывать свои деяния от людей. В них он увидел пример для себя. И с каждым днем начало расти в нем отвращение к мирской жизни. Наконец он раздал все свое имущество и деньги частью нищим, частью на сооружение храма в Хутынском монастыре. Себе же он не оставил ничего. Избавившись от всех прежних мирских забот, Прокопий ощутил спокойствие в своей душе. Он желал теперь всю свою жизнь провести в тишине уединенной кельи. Однако слава о Прокопии разошлась по всему Новгороду и окрестностям. Некоторые из превозносящих его за нестяжательство даже приходили в обитель, чтобы увидеть его. Но не славы искал Прокопий, и тяжело ему было слышать о себе такие разговоры. Не взяв с собой ни денег, ни еды, ни каких иных запасов, в бедной одежде ушел он из монастыря, устремившись на восток, туда, где лишь редкие и невеликие поселения встречались меж лесов и болот. Часто оставался он голодным, ночевал под дождем, если не находилось человека, который бы накормил, обогрел и успокоил его — ибо Прокопий никогда не просил еды и крова и вел себя при людях как глупый или безумный. Немало унижений перенес он от грубых людей в пути, немало претерпел от жары и мороза в своем обветшавшем рубище. Но не падал духом, веря, что каждый шаг приближает его к вечному покою и небесной обители. Наконец путь привел Прокопия в Устюг.

Неизвестный доселе никому юродивый, ходивший с тремя клюками и едва прикрытый жалким рубищем, очень скоро сделался известен всем жителям города. Здесь тоже нашлись те, кто оскорблял, бил и всячески унижал его. Однако Прокопий решил остаться. Представляясь безумным и юродствуя днем на улицах города, он ночами обходил все церкви устюжские, входил в открытые паперти, припадал на колени и молился. Когда же изнуренное постом и бдением тело его отказывалось служить, он ложился там, где застала его усталость — в постройках без крыш, на голой земле или камнях, даже на куче навоза. И после очень краткого отдыха бодрствовал снова. Питался лишь милостыней, и то лишь от людей, подающих из сострадания. От богатых не брал ничего, считая их добро нажитым неправедно. После многих скитаний Прокопий избрал для себя в качестве места для жительства угол паперти Успенского собора. И не пропускал ни одной службы в этом храме.

И как Прокопий возлюбил Бога всей душой, оставил богатство и прежнюю жизнь, обрек себя на мучения, скорбь и лишения, так и Бог возлюбил его и даровал дар предвидения и пророчества.

Беседуя с людьми благочестивыми, Прокопий не юродствовал, а наставлял и предостерегал. Но и когда юродствовал, внимательные свидетели могли узреть в действиях его пророчества. Много всяких предсказаний и чудес показал Прокопий, но самым значительным стало спасение Устюга. Было это за тринадцать лет до кончины святого. Во время воскресной службы в Успенском соборе юродивый вдруг обратился к собравшимся в храме горожанам с призывом каяться, поститься и молиться, ибо иначе погибнет весь город «от града огненного». Но никто не прислушался к нему. И даже те, кто прислушался, не поверили Прокопию. Всю неделю юродивый взывал к жителям, чтобы молились они, дабы не погубил Бог город их как Содом и Гоморру. Но и эта проповедь его не была услышана. И лишь один Прокопий молился за спасение. В следующее воскресенье горожане увидели на небе черное облако, которое приближалось и росло все более — пока день не стал чернее ночи. Сверкали молнии, гремели раскаты грома — и только теперь устюжане вспомнили слова юродивого и поверили ему. Все бросились в храмы и молились о спасении. Молился и Прокопий, не поднимая головы от пола и орошая его своими слезами. И вдруг все переменилось — отступил удушливый зной, утихли молнии и громы, рассеялись тучи. И только горелый лес напоминал, что они все едва не погибли. Вскоре стало известно, что в 20 верстах от города прошел предсказанный Прокопием «огненный град», раскаленные камни сыпались с неба. Но гнев Божий пощадил устюжан. Некоторые усмотрели в своем чудесном спасении заслугу Прокопия, но он приписал это милосердию и заступничеству Божией Матери и по-прежнему продолжал свой подвиг и юродством скрывал от людей обильную благодать, в нем обитавшую. Утешением для Прокопия была благочестивая чета — Иоанн Буга, принявший православие ханский баскак, и жена его Мария. Другом и собеседником его был святой Киприан, основавший в Устюге Свято-Михайловский монастырь.

В последний год жизни Прокопия настала зима суровая настолько, что не помнили ничего подобного даже самые седые старики. Птицы падали, замерзая на лету, погибло много скота. Немало народу замерзло насмерть и в Устюге, и в окрестностях. Каково же было Прокопию, который даже в суровые морозы коротал дни и ночи на холодной паперти, не имея ни горячей еды, ни теплой одежды, ни даже подобия постели. В дни вьюги он пытался выйти в поисках более теплого угла, но нестерпимый холод загонял его обратно. Лишь когда вьюга утихла, Прокопий смог покинуть паперть и пришел к клирику Симеону, которого отличал среди прочих. Изумился Симеон при виде его, поскольку был уверен, что Прокопий не мог пережить двухнедельную вьюгу. Юродивый поведал ему, как во время стужи не нашел он убежища ни у людей, ни даже у бродячих собак и вернулся на паперть, дрожа от лютого холода и ожидая смерти. И тут явился ему небесный посланник с райской ветвью, который принес ему «неувядаемую жизнь». Рассказав ему об этом чуде, Прокопий поспешно выбежал обратно на мороз.

Наступило лето 1303 года. В ночь на 8 июля

в Устюге внезапно пошел снег, покрыв землю толстым слоем. Горожане в ужасе ожидали, что их посевы погибнут, но взошло жаркое солнце, и снег быстро растаял, не нанеся вреда. И только тогда священнослужители Успенского собора заметили, что впервые за многие десятки лет Прокопий не пришел на утреннюю службу. Лишь на четвертый день нашли его тело, лежавшее на голой земле в до сих пор не растаявшем сугробе, хотя вокруг уже даже земля высохла. Погребен был Прокопий там, где завещал себя похоронить — на берегу реки Сухоны, под камнем, на котором любил сидеть при жизни.

Спустя много лет место это по-прежнему не имело ограды и лишь камень указывал на могилу святого. Некий человек по имени Иоанн, подражавший подвигам Прокопия, соорудил над его могилой часовню. Однако священнослужители прогнали убогого, забрали написанную им икону и разметали часовню.

Когда великий князь Иоанн Васильевич собирал рать великую для похода на Казань, ратники из Устюга пришли в Нижний Новгород, где бушевала эпидемия. И устюжанам стал являться блаженный Прокопий. Те из ратников, которые дали обет по возвращении поставить церковь в память о Прокопии, исцелились, остальные же умерли. Вернувшиеся домой воины поставили храм, но посвятили его святым

Борису и Глебу и великомученику Георгию. Словно в наказание за ослушание, 1 августа 1490 года удар молнии зажег этот храм, и он сгорел. Тогда устюжане, еще раз ходившие с князем на татар, в 1495 году поставили храм во имя Прокопия, чья святость уже была засвидетельствована многими чудесами.

В 1547-м на церковном соборе Прокопий был канонизирован в лике юродивого. И до сих пор относится к числу самых известных и почитаемых святых Русской церкви.

Действительно, случай со святым Прокопием уникален — пожалуй, другого такого святого у Русской православной церкви нет. Существует даже западноевропейская версия его жития, однако и она не дает сведений ни о его мирском имени до крещения, ни о хотя бы примерной дате его рождения. Можно лишь предположить, что родился он, скорее всего, в начале 1220-х годов. В Новгороде будущий Прокопий появился около 1243 года — то есть когда там княжил Александр Ярославич (которого мы знаем как Невского), с которым Прокопий был, весьма вероятно, почти ровесником. Странно, однако, что житие никак не упоминает этого князя, который весьма любим православной церковью, хотя написано житие в середине XVI века, а кроме того, и Прокопий, и князь Александр канонизированы одним и тем же церковным собором 1547 года. Никак не упоминаются в житии и победы князя над шведами и немцами. Разве что долгие поиски будущим Прокопием того, кто мог бы приобщить его хотя бы к основам православия, косвенно говорят о том, что он действительно прибыл в Новгород в эти нелегкие времена — вряд ли тогда кто-то стал бы с распростертыми объятиями встречать богатого немца, с чего-то вдруг пожелавшего стать православным. Так что ему действительно пришлось потрудиться для этого. Замечу все же, что момент появления Прокопия в Новгороде датирован достаточно условно — исходя из даты его смерти (1303 год) и продолжительности его пребывания в Устюге (60 лет, согласно житию). Так что, вполне возможно, любекский купец прибыл в Новгород еще до Ледового побоища на Чудском озере и даже до неудачной высадки шведов в устье Невы — ведь не пару же месяцев Прокопий пробыл в Хутынской обители. Даже если бы он отлично говорил по-русски еще до приезда в Новгород (что не факт), все равно никто не стал бы его крестить в тот же день, как он вошел бы в ворота монастыря. Либо Прокопий приехал позже — просто в Устюге он прожил не 60 лет, а гораздо меньше. Кроме того, от Новгорода до Устюга даже по нынешним, довольно прямым дорогам выходит более тысячи километров. По тогдашнему бездорожью, пешком, босой, без денег и припасов, не имея целью именно Устюг, а просто двигаясь навстречу восходу солнца (то есть более-менее на восток), Прокопий должен был идти достаточно долго — самое меньшее пару месяцев. Однако утверждение жития касательно того, что он страдал в пути и от жары с болотным гнусом, и от лютого мороза с голодным зверьем, выглядит не слишком достоверно — при всей суровости северного климата Прокопий не мог захватить сразу три сезона.

Утверждается, к примеру, что ради легендарного спасения Устюга от «огненного града» Прокопий молился перед старинной иконой Божьей Матери Благовещения, впоследствии перевезенной в Москву и даже именуемой «Устюжское Благовещение». Увы, ни одна летопись не подтверждает, что эта икона когда-либо была в Устюге. Факт небесного камнепада похож на правду еще меньше и тоже не имеет никаких документальных свидетельств. Не найдено и никаких следов небесного камнепада в районе не существующей ныне деревни Котовалово (в 20 километрах от города). Камень, будто бы найденный на месте выпадения «огненного града» и заложенный впоследствии в основание церкви, построенной в честь Прокопия, оказался не небесным гостем, а диабазовым валуном, притащенным последним ледником. Выпавший в день смерти святого в июле снег также не упомянут нигде до написания жития — ни в одной из летописей начала XIV века.

Еще и поэтому житие Прокопия удостоилось в книге В.О. Ключевского «Древнерусские жития святых как исторический источник» исключительно разгромного отзыва и упомянуто скорее как пример того, «как не надо писать». Фрагмент, посвященный житию устюжского святого, невелик и, думаю, стоит привести его целиком. Слово Василию Осиповичу:

«Житие устюжского юродивого Прокопия, плохо написанное, составлено из отдельных эпизодических рассказов, имеющих очень мало литературной связи и разделенных хронологическими противоречиями. Это ряд легенд, сложившихся из различных местных воспоминаний независимо одна от другой и не подвергнутых в житии искусной обработке. В послесловии к житию, написанном по предисловию Епифания к биографии Сергия, читаем: *«аз окаянный написах о житии и чудесех его втайне и предах сия Божиим церквам, а иное имех у себе и церковнии повестницы за много лет, свитцы писанные приготованы быша про такова свята мужа»*. Рассказ об огненной туче в житии есть неловкая переделка повести, отдельно встречающейся в сборниках. Рассказ о страдании Прокопия во время мороза, по словам биографа, записан со слов юродивого отцом Стефана Пермского Симеоном; но изложение его в житии есть переделка эпизода из жития Андрея Цареградского. По-видимому, предания о Прокопии и его чудесах начали записывать уже во второй половине XV века, когда в Устюге построили церковь во имя блаженного (в 1471 году) и начали местно праздновать его память: в одном из чудес, приложенных к житию, больному окольничему великого князя Ивана III послали из Устюга вместе с образом Прокопия стихиры и канон ему. В житие внесена повесть о построении церкви Прокопия в Борисоглебской сольвычегодской обители в 1548 году и о чудесах от его образа, там находившегося. Упомянув об этих чудесах, автор жития другого устюжского юродивого Иоанна замечает о Прокопии: «*его же чудеса и прощение в писании его сказа, а о сем же св. Иване начнем паки писати*». По-видимому, эта неясная заметка дает основание считать оба жития произведением одного автора: по крайней мере оба отличаются одинаковыми приемами и одинаковым неуменьем писать. Житие Иоанна составлено по источникам более надежным. Биограф говорит, что писал его, живя в Борисоглебском Сольвычегодском монастыре у отца своего игумена Дионисия, по распоряжению которого построена была упомянутая церковь Прокопия, и который до вступления в иночество был священником при Устюжском Успенском соборе, лично знал Иоанна и присутствовал при его погребении. Этот Дионисий сообщил сыну сведения о блаженном и благословил его написать его житие в 1554 году».

Итак, житие представляет собой грубую склейку из местных преданий и заимствований из других житий, крайне слабо между собой согласованных, к тому же плохо написанную. И написанную не ранее 1554 года, а возможно, и позднее. Житие Александра Невского в первой своей редакции было написано в 1280-е годы — то есть агиограф Прокопия не мог не знать о нем, должен был знать и о канонизации князя — одновременно с устюжским юродивым. Тогда почему же никак не упомянул о том, кто был князем в Новгороде, когда Прокопий принял православие? Ведь Александр Невский был весьма нерядовой фигурой в русской истории, и хотя бы упомянуть эту персону агиограф мог.

Впрочем, это не самый существенный недостаток данного жития. В примечаниях к этому фрагменту своей книги, Ключевский разъясняет, что он имел в виду, говоря о противоречиях, прежде всего хронологических:

«За предисловием следуют рассказы: о происхождении и поселении Прокопия в монастыре у Варлаама Хутынского, об избавлении Устюга от огненной тучи, о страдании Прокопия во время мороза, о пророчестве Прокопия, предсказавшего 3-летней Марии, что она будет матерью Стефана Пермского, и о кончине юродивого в 1303 году. По первому рассказу, Прокопий жил в конце XII века, второй помечен 1478 годом, и оба не согласны с последним».

Позвольте, скажет кто-то, но ведь нам известно, что «огненный град» поразил Устюг в 1290 году? Не совсем так. В тексте жития говорилось, что это произошло за 13 лет до смерти блаженного Прокопия. А поскольку Прокопий будто бы умер в 1303 году, то для уточнения даты чудесного спасения города просто отминусовали требуемое число лет от даты смерти святого, посчитав «неправильную» дату обычной ошибкой. Хотя с таким же успехом можно было и приплюсовать те же тринадцать лет к 1478 году и получить 1491 год как год смерти Прокопия — все равно, ни на 1290-й, ни на 1478-й годы летописи не грешат в плане стихийных бедствий для устюжан. Впрочем, Ключевский упоминал еще и XII век. Что он имел в виду? Речь, собственно, о Хутынском монастыре, основанном в 1192 году. Эта дата достоверна и упоминается в разных летописях того времени. Современные излагатели жития, пытаясь смягчить несуразности, утверждают, что молодой немецкий купец пришел к жившему в монастыре старцу, который подражал основателю обители и носил то же имя — Варлаам. Но, по мнению Ключевского, агиограф мог иметь в виду именно Варлаама — основателя Хутынской обители. То есть Прокопий принял православие в этом монастыре в первые годы его существования, в конце XII века. Об этом говорит то, что автор жития называет монастырь «недавно основанным» и сообщает при этом, что, избавляясь от своего богатства, Прокопий пожертвовал значительную сумму на строительство храма — то есть монастырь был небогат и действительно недавно основан, и храм в его пределах еще не был построен (ну, или не был достроен — это не так существенно, как сам факт пожертвования). К слову, если держаться этой точки зрения, появляется весьма разумное объяснение, почему житие не упоминает Невского — тот даже родился много позже крещения Прокопия и его ухода из Новгорода.

Ключевский еще раз вернулся к Прокопию в своей книге, добавив несколько штрихов:

«В некоторых списках XVII века к житию Прокопия Устюжского с чудесами, описанными в XVI веке, прибавлен ряд новых чудес 1631–1671 гг.; последнее из них есть любопытная для

истории народных поверий легенда о беснова-
той Соломонии, записанная устюжским попом
Иаковом в 1671 году. Эти чудеса сопровожда-
ются двумя похвальными словами, написанны-
ми, судя по упоминаемым в них святым, в XVII
веке».

Е.Е. Голубинский в своей «Истории канонизации святых в Русской церкви» полагает, что
Прокопий, «по свидетельству очень мало на-
дежного жития его скончавшийся в 1303 году...»

Вот только мы уже не первый раз сталки-
ваемся с агиографическим произведением, которое более всего напоминает компиляцию из
легенд и биографий совершенно разных людей, носивших одно имя. Иначе говоря, святой
Прокопий — это не реальный человек, а некий
собирательный образ русского юродивого. Вду-
майтесь — согласно житию, он не был глупым
подростком — это был молодой, но вполне самостоятельный мужчина, сознательно сделавший свой выбор, причем не сразу, не мгновен-
но. И вот, избрав весьма трудный путь духов-
ного подвига, он прожил еще 60 лет или около
того. Иначе говоря, земная жизнь его продолжалась около 80 лет или даже более. А теперь
сделайте поправку на хроническое недоедание,
отсутствие какой-либо медицинской помощи в
случае болезней, нередкие побои от непонима-
ющих его людей, отсутствие нормальной оде-

жды и обуви, и просто укрытия от холода — и это в условиях Русского Севера, где смерть зимой от переохлаждения была обычным делом для людей, куда более молодых и крепких физически. Конечно, можно порассуждать, что в особо сильные морозы юродивый все же находил себе хоть какое-то убежище — в соломе, хлевах со скотиной, поддерживая оставленный кем-то в лесу огонь...

Вспомним — и Ключевский, и многие другие исследователи говорят о том, что житие Прокопия было написано спустя 250 лет после общепринятой (но достоверной ли?) даты его смерти, на основании разношерстных изустных преданий, и не опиралось ни на один (!) письменный источник. А как известно, для сказителей — что сто лет назад, что триста, что пятьсот. «Давно дело было». Одно дело, когда Дионисий, игумен Борисоглебского монастыря в Сольвычегодске, рассказывал сыну о святом Иоанне Устюжском, который умер в 1494 году и которого игумен, возможно, знавал лично (и уж точно хорошо знал людей, общавшихся с блаженным Иоанном). И совсем другое дело, когда он говорил сыну о Прокопии Устюжском, все сведения о котором давно утратили свою точность, переходя от рассказчика к рассказчику. Любопытно, что в самом Устюге почему-то никто не удосужился сделать записи о Прокопии, если не при жизни блаженного, то хотя бы после его кончины — которая сопровождалась будто бы весьма достойным письменного запечатления знамением. Хотя, возможно, записи такие были — но были безвозвратно утрачены задолго до его канонизации. Неизвестно. И все же — почему житие не было создано до канонизации святого, что вовсе не было таким уж исключительным делом? И почему наибольшее число чудес, происходивших от мощей Прокопия, относится к периоду написания жития?

Замечу также, что, с точки зрения атеиста, требование святого, который является бредящим при болезни ратникам, поставить за исцеление храм, посвященный именно ему, выглядит не слишком милосердно. А уж тем более зажигание молнией храма, посвященного другим, но все же святым, отдает совсем уж какой-то детской местью. Все же, думаю, эта глупая мысль должна оставаться грехом на совести автора жития и тех, кто эту глупость с восторгом переписывал раз за разом. Ведь по житию храм сгорел в 1490 году, а поставлен был — по Ключевскому — за двадцать лет до того. Неужели святой Прокопий так долго собирался отомстить? Ведь эта злосчастная молния скорее всего была простым проявлением стихии?

Прокопий... Святой или один из сказочных персонажей, почитаемых на Руси...

Ефрем Перекомский

Об этом святом подвижнике, избравшем уединение от мира, известно довольно много. Родился он 20 сентября 1412 года в городе Кашине, ныне относимом к Тверской области, в купеческой семье, у супругов богобоязненных и благочестивых, давших обет, что если будет у них сын, то посвятят его богу.

Уже в раннем детстве Евстафий избрал духовный путь и прилагал все старания к изучению грамоты ради разумения священных книг, освоив же ее, сделал чтение и участие в церковных службах единственным своим занятием, в то время как сверстники его проводили все время в играх. Отвергнув мирские радости, изнурял свое тело. Был он послушным сыном и, только когда родители начали заговаривать о женитьбе, задумался о том, как избежать исполнения родительской воли и двинуться далее по избранному пути. Юноша много слышал о Троицком монастыре, что возле Калязина на Волге, и задумал попасть туда, прежде чем придется подчиниться отцу. И однажды, отлучившись с согласия родителей в соседнее поселение, Евстафий навсегда покинул родной дом. Однако направился не по тому делу, на которое сослался, а в монастырь, настоятель которого Макарий разрешил ему остаться, хотя и предупредил юношу о «скорбном жительстве иноческом». Родители вскоре отыскали его, но Евстафий не только отказался возвращаться, но и убедил родителей оставить мирскую суету и принять монашество.

Пробыв в той обители три года, Евстафий перешел в Вишерский монастырь к преподобному Савве и в 1437 году принял постриг с именем Ефрем. И там он продолжал свой путь к богу, трудясь с утра до вечера и даже ночью изнуряя тело свое. Притом первый являлся к службе и последний выходил из храма. Его служение вызывало всеобщее уважение и любовь к нему братии. Но Ефрема такое отношение монахов к нему очень смущало, и спустя несколько лет он пришел к игумену Савве и просил отпустить его в пустыню. Однако игумен дал на это свое благословение лишь спустя несколько лет, когда убедился, что Ефрем действительно готов к этому духовному подвигу.

Получив благословение старца, в 1450 году преподобный Ефрем отправился к озеру Ильмень, к устью реки Веронды, и на берегу реки Черной поставил келью. Здесь, смиряя «плоти похотные мудрования», изнуряя себя «постом и молитвами» и претерпевая «жестокое житие», преподобный Ефрем провел несколько лет. Прослышав о нем, начали к Ефрему собираться иноки, однако никто не мог превзойти в подвиге духовном самого преподобного, который круглый год ходил в одном рваном одеянии, невзирая на жару и мороз, и молился беспрестанно, поражая именем Божьим злых духов, пока не изгнал их от себя окончательно. Постепенно братство в пустыни увеличилось настолько, что иноки стали умолять Ефрема стать их священником. После долгих уговоров Ефрем внял их просьбе и отправился в Новгород к архиепископу Евфимию, чтобы быть рукоположенным в сан. По возвращении Ефрем заложил храм в честь Богоявления Господня на острове в устье Веронды. Но возведение в сан не уменьшило его смирения — трудился он по-прежнему не меньше других, ибо крепок был не только духовно, но и телесно. Однако более всего заботился о страждущих и больных, утешая их словом любви и веры. Всех иноков своей обители Ефрем научил усердной молитве и воздержанию, не позволяя им забывать о своих монашеских обетах и о судном дне. Был он строг, но справедлив.

Однажды услышал Ефрем, как ропщут иноки на трудности с водой, которую приходилось носить издалека — в самой обители не было источника. Игумен, озаботившись трудностью доставки воды в обитель, организовал монахов на копание протоки, соединявшей реку Веронду и озеро Ильмень, и прошла та протока совсем рядом с обителью. Слух об этом разошелся далеко, отчего и самого преподобного прозвали Перекопским (Перекомским, Перековским), и созданную им обитель. Впоследствии игумен Ефрем основал в обители еще один храм, на этот раз каменный, посвятив его Николаю Чудотворцу. Среди иноков не было искусных строителей, и Ефрем обратился к великому князю Василию Иоанновичу с просьбой прислать каменщиков. Князь выполнил просьбу преподобного, и в 1466 году храм был закончен. Еще много лет Ефрем стоял во главе монастыря, поучая братию богоугодной жизни. Преставился он 26 сентября 1492 года в возрасте 80 лет и был погребен в церкви святого Николая. Канонизирован Ефрем был на соборе Русской Церкви в 1549 году.

Известны прижизненное чудо изгнания Ефремом разбойниц одним лишь посохом и молитвой и десять посмертных чудес, в основном связанных с исцелениями и спасением утопающих — в том числе Петра I, чей корабль в 1702 году шторм выбросил возле монастыря, после того как царь обратился к святому с молитвой.

Что касается созданной им обители, то судьба ее такова. Перекомский монастырь, хоть и стоял далеко от воды, но на невысоком месте. После смерти преподобного Ефрема участились наводнения, которые стали угрожать обители разрушением. Но Ефрем явился во сне игумену Роману, своему ученику, и указал ему новое место для монастыря. И в 1508 году обитель перенесли. Поскольку все монастырские строения на прежнем месте разобрали, над местом погребения Ефрема возвели часовню, а позже перенесли мощи в новый монастырь. В 1580 году находившийся слишком близко к границе русских земель Перекомский монастырь подвергся разграблению шведами, в 1611 году был разорен ими повторно, после чего пришел в запустение и был восстановлен только в 1672 году стараниями боярина Романа Боборыкина, который полагал, что не утонул в Москве-реке исключительно благодаря помощи святого Ефрема. В 1704 году был построен Богоявленский собор, куда перенесли мощи святого, в 1806 году было построено новое здание собора, где мощи преподобного Ефрема почивали под спудом в посвященном ему приделе. Монастырь был закрыт большевиками в декабре 1919 года. Богоявленский храм действовал как приходский до 1930 года, когда был также закрыт, а в июле 1932 года взорван. Мощи святого почивают под развалинами собора.

Примерно так выглядит биография этого святого с позиций церкви, разве что некоторые даты могут отличаться в разных источниках.

Но что из известного о Ефреме Переком-
ском и упомянутого в его житии можно считать
достоверным?

Как и у многих других святых древности,
житие Ефрема имеет немало неточностей и нестыковок, написано значительно позже, чем утверждает о себе само, да и не содержит почти
собственного материала, опираясь на жития
других святых. Однако подробнее.

Основная редакция жития известна всего в
нескольких списках, самый ранний из которых
относится к XVIII веку, проложная редакция
уцелела и вовсе в одном списке. В тексте жития
говорится, что житие написал игумен Перекомского монастыря Роман, преемник Ефрема и его
ученик. В.О. Ключевский, опираясь на летопи-
сные сведения, что некий Роман действительно был игуменом Перекомской обители и преставился в 1554 году, предположил, что святой
Ефрем, видимо, скончался не в 1486 году (как
написано в житии), а в начале XVI века. Мысль
Ключевского, в общем-то, понятна. Если Ефрем
скончался даже в 1492 году (чего придержива-
ется большинство современных источников),
то до 1554 года оставалось еще минимум лет 60
или даже почти 70. Маловероятно, что преемник Ефрема и игумен монастыря в середине
XVI века — один и тот же человек. Даже если
Роман прожил жизнь весьма долгую, то все рав-

но получается (с учетом этих 60–70 лет), что на момент кончины преподобного Ефрема он был слишком молод и никак не мог стать игуменом. Впрочем, многие текстологические моменты указывают на то, что житие все же написано много позже предполагаемой кончины святого (возможно, даже после возрождения монастыря в 1670-е годы). И, к слову, ничто не говорит, что один из двух Романов является автором жития.

Как уже говорилось выше, при написании жития Ефрема Перекомского были использованы жития других святых — преподобного Александра Свирского и уже упоминавшегося преподобного Саввы Вишерского. Более того, житие Александра Свирского практически полностью включено в житие Ефрема в его основной редакции (причем по большей части без каких-либо изменений; даже имя отца Александра Свирского — Стефан — перенесено на отца Евстафия-Ефрема; настоящие, а не косметические отличия начинаются с описания преставления Ефрема), а проложная редакция и служба, в свою очередь, построены на житии святого Саввы и службе в память о нем, написанных Пахомием Логофетом в 1464 году.

Преподобный Александр Свирский жил в одно время с Ефремом, однако и родился и умер позже — он скончался в 1533 году в возрасте 85 лет. Канонизирован он, впрочем, был раньше Ефрема — на церковном соборе в 1547 году (во многом по инициативе митрополита Макария, который знал его лично). Житие его было написано в 1545 году, незадолго до канонизации. Из этого следует, что известная нам версия жития Ефрема никак не могла быть написана раньше этой даты, что опять же ставит под сомнение авторство «игумена Романа, ученика Ефрема», поскольку даже в этом случае (то есть почти на десятилетие раньше, чем известное нам упоминание «Романа, настоятеля Перекомского монастыря») вряд ли автор жития Ефрема мог быть его современником.

Что касается связи с житием Саввы Вишерского, то тут тоже не все гладко. По всей видимости, автор жития Ефрема Перекомского опирался на упоминание в житии Саввы его ученика Ефрема. Однако этот Ефрем участвовал в строительстве Вишерского монастыря, оконченном в 1415 году, а после смерти святого Саввы (между 1458 и 1461 годами) вместе с другим его учеником возглавил эту обитель — и больше ничего о нем автор жития Саввы не добавляет.

В житии же Ефрема Перекомского прямо говорится о том, что он родился в 1412 году, то есть в 1415 году ему едва ли исполнилось 3 года, да и принять на себя руководство Вишерской обителью после смерти Саввы он тоже никак не мог, ибо уже стоял во главе Перекомского монастыря. Не мог он основать и Спасо-Преображенский Валаамский монастырь, что утверждается в «Сказании о Валаамском монастыре», поскольку эта обитель также была основана не позднее, чем Вишерский монастырь, а весьма вероятно, что и раньше, то есть даже до рождения Евстафия-Ефрема. По сравнению с этим история о копании протоки к монастырю лично Ефремом, как это утверждается в житии, а не всей братией под его руководством, уже не выглядит чрезмерным преувеличением.

С 1412 годом тоже не все понятно — назвав эту дату, агиограф тут же пишет, что святой родился во времена Василия Иоанновича (к нему мы еще вернемся), Фотия (митрополита в 1408–1431) и Евфимия II (архиепископа новгородского в 1429–1458).

Когда автор жития доходит до строительства храма Николая Чудотворца в Перекомской обители, гладкость повествования дает еще один сбой — Ефрем будто бы посылает иноков с просьбой прислать каменщиков к великому князю Василию Иоанновичу. Но Василий Иоаннович, он же Василий III, правил в 1505–1533 годах (в 1466 году великим князем являлся Василий Васильевич — Василий II Темный). Но в житии утверждается, что Ефрем умер в 1486 году — то есть за два десятилетия до вступления Василия Иоанновича на престол (не говоря уже о том, что согласно тому же житию упомянутый храм был достроен и вовсе за сорок лет до вокняжения Василия III). Впрочем, там же говорится, что Ефрем жил 80 лет (и, считая от 1412 года, русские историки XIX века сдвигали дату его кончины на 1492 год — но этот сдвиг в четыре года в данном случае ничего не проясняет). Возможно, В.О. Ключевский был прав в своем предположении, что преподобный Ефрем скончался не в конце XV, а в начале XVI века — в том же житии основной редакции указывается, что мощи святого были перенесены в Богоявленский собор заново построенного на новом месте монастыря через 22 года после его кончины. То есть 1486+22=1508 (или 1492+22=1512). Но в житии говорится, что мощи были перенесены в 1545 году, при царе Иоанне Васильевиче (Иоанне IV Грозном) и новгородском архиепископе Пимене... получается, что Ефрем умер в 1523 году (к этому же выводу пришел П.М. Строев в своих «Списках иерархов и настоятелей монастырей Российской церкви», изданных в Петербурге в 1877 году)? Иначе говоря, на три десятилетия позже?

Но тогда либо Ефрем прожил более 80 лет, либо родился в 1443 году (но тогда вряд ли встречался с Саввой Вишерским и тем более не мог оказаться возле озера Ильмень в 1450 году).

Либо... Либо агиограф небрежно позаимствовал 1545 год (как и многие другие детали) из жития преподобного Александра Свирского.

Впрочем, есть и другие версии даты кончины Ефрема Перекомского, со сдвигом совсем в другую сторону — в «Описании о российских святых», известном в списках, сделанных в XVIII–XIX веках, в разделе «Преподобные отцы Новгородские» напротив его имени стоит 1461 год. Если так, то Ефрем мог быть учеником Саввы Вишерского, его помощником и даже его преемником (правда, очень недолго), кроме того — строителем монастыря на Валааме. Но — никак не мог достраивать собор в 1466 году в Перекомской обители, а уж тем более обращаться за помощью к Василию III. То есть не мог все это делать один человек. Либо — либо.

Что касается главного детища Ефрема — Перекомского монастыря, — то и тут концы с концами не сходятся. Новгородская первая летопись младшего извода сохранила запись о завершении строительства Верондовского Спасо-Преображенского монастыря и Спасо-Преображенской церкви в нем в 1407 году по распоряжению Иоанна, архиепископа Новгородского в 1389–1415 годах. Новгородская третья летопись, выполненная в XVII веке, говорит о постройке храма Николая Чудотворца во все том же 1407 году во все той же обители. То есть в лучшем случае Ефрем лишь возобновил монашескую жизнь в этом месте (вероятно пришедшем в запустение), но никак не стал ее основателем.

Автор жития не раз дает повод считать, что текст написан уже после канонизации святого Ефрема. О посылании иноков якобы к Василию III уже говорилось выше, есть в житии и иные анахронизмы. Например, говоря о том, что Ефрем, почувствовав близкую кончину, поручил судьбу Перекомской обители новгородскому архиепископу, агиограф именует архиепископа Пименом, хотя Пимен был архиепископом в Новгороде в 1552–1570 годах. И так далее, и тому подобное.

Иначе говоря, мы имеем дело с полулегендарным историческим персонажем, который куда как менее реален, чем, например, Леонтий Ростовский, хотя тот и жил на триста лет раньше. Вероятно, Ефрем Перекомский действительно существовал, но кто знает, есть ли хотя бы крупица правды в том, что о нем написано? В.О. Ключевский писал, что автор жития Ефрема (в его основной редакции) «почти целиком переписал житие Александра Свирского, поставив только другие имена лиц и мест и кое-где слегка изменив ход рассказа. Это, конечно, делало неизбежными искажения действительных событий, чем объясняется множество противоречий, которые легко заметить при чтении жития».

То есть житие Ефрема Перекомского отражает что угодно, только не его подлинные жизнь и деяния — в основе это житие совсем другого святого, увешанное деталями биографий двух, если не трех Ефремов — и не подкреплено ни одной строкой в летописях. Иначе говоря, чемчем, а историческим документом это житие не является ни в малейшей степени...

Кирилл Новоезерский

Иеромонах Кирилл, основатель монастыря, получившего впоследствии название в его честь, канонизированный в лике преподобного. Один из самых известных и чтимых русских святых.

Он не был ни греком, ни немцем. Кирилл происходил из небогатой дворянской семьи Белых, хорошо известной в те времена в родном Галиче. С детства он проявлял интерес не к играм, а к церковным службам, к духовной литературе, любил уединение. Однако родители не ожидали, что достигнув 15-летнего возраста, их послушный и богобоязненный сын вдруг внезапно исчезнет. Встревоженные отец и мать приложили все усилия, чтобы раскрыть это

загадочное исчезновение, и хотя уже переста-
ли верить, что он жив, не прекращали поиски.
И нашли. Случайно забрел к ним старец, знав-
ший, где находится их сын.

Кирилл отыскался во Введенском монастыре
у преподобного Корнилия Комельского и, как
оказалось, уже принял монашеский постриг.
Родители увидели в поступке сына знак для
себя и простили его ослушание. Мать решила
принять постриг сына, а отец отправился в монастырь, чтобы увидеть сына и передать часть
имения своего в дар обители. Увидев переме-
ну, произошедшую в сыне, он возжелал также
принять постриг и остаться рядом с ним. Вскоре они получили известие о смерти матери Кирилла. Кирилл распорядился раздать оставше-
еся имущество нищим, а крепостных отпустить
на волю. Отец его умер три года спустя. Оплака-
в его, Кирилл сказал себе: «И я смертен» —
и усугубил свои подвиги. Он усердно исполнял
самые тяжелые монастырские работы, с благо-
говением стоял в храме, беспрекословно пови-
новался не только игумену, но и всей братии,
изнурял себя постом, упражнялся во бдении,
молитвах, пении псалмов, все свое немногое
свободное время отдавал чтению слова Божия и
житий святых. Оградив себя кротостью и сми-
рением, Кирилл не имел на земле другой заботы, кроме заботы об угождении богу. Движи-

мый стремлением все к большему и большему духовному совершенству, он задумал покинуть обитель и поселиться в пустыне. Получив одобрение своего намерения от преподобного Корнилия, Кирилл помолился и вышел тайно из монастыря в одной рваной одежде.

Не выбрав еще себе места для такого уединения, решил он посетить иные обители, дабы поклониться их святыням. И пошел сначала на север, к океану. Скитаясь в горах и лесах, питаясь грибами, травой и сосновой корой, видя более диких зверей, чем людей, обошел он все Поморье. Покинув север, он направился в ближние к Москве земли, потом дошел до Новгорода и Пскова, везде посеща́я святые места. Но нигде не заходил Кирилл в мирские дома и не принимал подаяния, кроме малого количества пищи. Днем странствовал, ночи же проводил в молитве и пении псалмов. В храмы всегда приходил к началу пения и с точностью исполнял церковные уставы. Ходил в заплатанной одежде и босой, страдая от мороза, солнца, дождя, комаров и других насекомых, и изнурял себя постом и жаждою.

Странствуя уже двадцать лет, преподобный Кирилл захотел избрать себе для пребывания одно определенное место. И однажды глас небесный указал ему путь в Белозерский край. Дойдя до Тихвина и проведя три дня в молитвах и бдении на паперти храма Тихвинского Богородицкого монастыря, Кирилл задремал, и во сне ему явилась сама Богородица, которая направила его к острову на озере Новом, где предстояло ему окончить свои поиски и заложить монастырь. Было это в 1517 году. Добравшись до озера и перебравшись на остров, называемый Красным (который он потом выкупил у владевших им местных крестьян), Кирилл поначалу просто соорудил себе шалаш, всего лишь прижав нижние ветви большой ели к земле. Здесь преподобному во сне явился ангел, объявивший ему, что это место и станет для него местом спасения и упокоения. Обосновавшись, Кирилл возвел одну келью для себя, а другую — для будущей братии, а в следующем году также две церкви, одну из которых он посвятил Воскресению Христову, а вторую — Богоматери Одигитрии, после чего был посвящен в игумены. Преподобный Кирилл сам возводил постройки для монастырских служб, рубил лес, пахал землю и выращивал овощи. Трудясь над устройством монастыря, преподобный Кирилл немало перенес затруднений и испытаний. Пытались досаждать ему и рыбаки, и разбойники, и воры, и крестьяне, пытавшиеся рубить лес на монастырском острове. Однако сила веры и молитвы Кирилла превозмогала их число и силы, и они в ужасе и раскаянии бежали. После того как некая женщина попыталась склонить его к греху, а потом еще и отрицала свои греховные помыслы, игумен Кирилл запретил женщинам появляться на острове. Постепенно обитель наполнялась иноками и обустраивалась. Являлись благотворители, дававшие обители средства и припасы и тем обеспечивавшие ее существование — от случайных посетителей до князей. Великий князь Василий Иоаннович пожаловал на прокормление обители две деревни (в том числе и ту, у жителей которой прежде Кирилл выкупил остров). Кирилл возглавлял обитель до самой своей кончины, случившейся 4 февраля 1532 года. Слава о монастыре разошлась далеко еще при жизни игумена Кирилла, обитель пользовалась вниманием и уважением великих князей и царей. Немало чудес исцеления и просветления сотворил Кирилл при жизни, и после смерти его чудеса продолжались, многие и дивные. В 1542 году святой явился царю Иоанну Грозному и уберег его от гибели, не дав пойти в палаты, которые в тот день обрушились. Царь за свое спасение щедро одарил монастырь, основанный Кириллом, и с радостью принял образ преподобного, написанный на иконе и привезенный игуменом Новоезерской обители Вассианом.

Похоронить себя святой Кирилл завещал в обители, в месте, иногда затопляемом водой.

Седьмого ноября 1649 года, когда рыли рвы
под фундамент нового собора, были обретены
мощи преподобного Кирилла. Спустя три года
строительство завершилось, и мощи были помещены в раку, установленную в арке между собором и придельной Кирилловской церковью.
Вскоре после обретения мощей преподобный
Кирилл был причислен к лику святых. Точная
дата канонизации неизвестна, но, по мнению
В.О. Ключевского, случилось это не позднее
22 августа 1652 года, когда был освящен новый
храм в обители.

В 1919 году мощи Кирилла были вскры-
ты большевиками, серебряная с позолотой
рака, изготовленная в 1795 году, исчезла — ко-
сти святого были сложены в простой дере-
вянный гроб, поставленный на место раки.
В 1928 году монастырь, основанный Кириллом,
закрыли. Часть ценностей была передана в музей, остальное — расхищено или уничтоже-
но. Мощи святого тогда пропали и до сих пор
не найдены. Монастырские постройки пришли в запустение, частично были разобраны.
В 1930-е годы в монастыре разместился испра-
вительно-трудовой лагерь, не раз менявший
название и статус. С 1994 года это печально
знаменитый «Вологодский пятак», он же «Ис-
правительная колония №5» (ИК-5) — одна из

пяти российских колоний для осужденных на пожизненное заключение.

Печально, что так сложилась судьба мощей святого Кирилла и основанной им обители.

Но здесь речь не об этом. Речь о том, насколько достоверно то, что мы знаем об этом святом и насколько он заслуживает почитания.

Ни житие, ни прочие источники не дают нам сведений о том, когда же родился Кирилл Белый. Неизвестны и мирские имена его самого и его родителей. Мы знаем только, что родной дом он покинул в 15-летнем возрасте. Ничего не известно о том, как же долго его искали родители, если успели счесть его умершим, но рискну предположить, что не слишком долго (скажем, от нескольких месяцев до года) — если еще продолжали поиски, когда к ним забрел инок из Комельской обители. Примерно в тот же год, когда его нашли, умерла его мать, отца он похоронил спустя три года, то есть тогда Кириллу было самое меньшее восемнадцать. Судя по всему, братьев и сестер у него не было (весьма вероятно, что он был поздним и очень желанным ребенком). Сказать по правде, изложение в житии начального периода жизни Кирилла мало чем отличается от многих других житий — тот же Ефрем Перекомский, уже здесь упоминавшийся, точно так же тайно от родителей ушел в монастырь (разве что явно был немного старше, раз речь заходила о предстоящей женитьбе), а потом удалился в пустынь.

Житие сообщает нам, что Кирилл решил покинуть обитель Корнилия Комельского после пятнадцати лет ученичества и странствовал двадцать лет. Первая конкретно названная (и повторяемая большинством списков и редакций жития) дата в жизни Кирилла — 1517 год, когда он уже решил обосноваться на каком-то одном месте после многолетних странствий. Но единственный уцелевший список первоначальной редакции жития содержит более раннюю дату основания обители на Красном острове — 1512 год. Возможно, эта дата более верна и 1517 год — результат ошибки переписчиков (для этого достаточно было неправильно пометить титлом буквы, исполняющие роль цифр).

Но расхождение в пять лет несущественно в сравнении с тем, что всплывает дальше. Согласно житию, Кирилл умер в 1532 году. Эта дата — единственная, никем не оспариваемая. Начнем же от нее. Итак, в обители на Красном острове Кирилл провел двадцать лет (ну, или пятнадцать). До этого двадцать лет он провел в странствиях. Предыдущие пятнадцать — в ученичестве у Корнилия Комельского. К которому он пришел в возрасте пятнадцати лет. В сумме получаем 70 (ну, или 65) лет жизни. Неплохо даже по нынешним временам. Но и не слишком много, что вполне согласуется с житием, которое не называет его глубоким старцем. Что не так?

Исходя из этих данных, получаем примерную дату рождения Кирилла: 1532–1570(65)=1462(1467) год. Плюсуем еще 15 лет, и получаем, что Кирилл пришел в Комельскую обитель в 1477(1482) году.

А что об этом говорит биография самого Корнилия (к слову, очень хорошо задокументированная)? Увы, она вдрызг разбивает стройность этих расчетов. Известно, что Корнилий родился в 1457 году в Ростове, в боярской семье, и умер в 1537 году в возрасте 82 лет, переживши более молодого Кирилла. Впрочем, для нас куда более важно, что Корнилий поселился в Комельской пустыни в 1497 году, а в 1501 году был рукоположен в священники, пустынь же обрела статус монастыря. В тот же год в ней была построена деревянная церковь (каменный храм в обители возвели лишь в 1515 году).

То есть выходит, что Кирилл никак не мог прийти к Корнилию в обитель — ее еще попросту не было. Однако житие утверждает, что юноша слышал об этом монастыре прежде, чем решился уйти из дома. Причем речь идет именно о монастыре, а не о пустыни. То есть принять постриг в Комельской обители Кирилл ранее 1501 года никак не мог. Но к этому моменту ему должно было быть уже никак не 15, а 39 лет (или 34 года). Как-то не сходится...

Попробуем зайти с другой стороны. Предположим, юноша действительно принял постриг у Корнилия. Допустим, автор жития сильно преувеличил срок «ученичества», как и период странствий Кирилла. Но тогда получается, что Кирилл родился в 1486 году, провел в Комельской обители и в странствиях 10 или 15 лет (в том числе в обители никак не менее 3 лет — пока не умер его отец), основал собственный монастырь в возрасте 26 или 33 лет и умер в 46. Но это совсем уж полная ерунда. Где вы видели такого молодого игумена? И если это все-таки было именно так, почему в житии о таких удивительных деталях ни слова?

Прошу простить мне все это копание в цифрах и датах — просто в житии Кирилла их почти нет, а оно, к слову, примечательно тем, что написано не без изящества и не содержит внутренних противоречий (в отличие от жития того же Прокопия Устюжского), хотя вот нестыковки с «окружающей средой» налицо. Увы, никаких альтернативных версий летописи нам не предлагают, житие же железобетонно держится уже изложенной истории.

Однако большинство прежде затронутых здесь житий как-то больше рассказывали именно о подвигах святых во имя веры, совершенных ими при жизни. Ставили их, так сказать, во главу угла. И сведения о чудесах, совершенных святыми до или после смерти, никогда не превалировали в них, несмотря на явно недостаточную историчность агиографической литературы. Но житие Кирилла Новоезерского примечательно именно тем, что сами события его жизни укладываются в несколько строк. Зато описание чудес, особенно чудес, связанных с его мощами, составляет довольно длинный список.

Впрочем, прежде чем речь пойдет о чудесах Кирилла, еще раз вернемся к собственно житию этого святого.

В.О. Ключевский (затрагивая житие Кирилла в своей изданной в 1871 году книге «Древнерусские жития святых как исторический источник») полагал, что житие было создано в начале XVII века монахом Новоезерской обители, пришедшим в монастырь в конце века предыдущего, и которому посчастливилось разговаривать с еще живым тогда Дионисием — первым послушником обители и учеником Кирилла, поведавшим ему о первом чуде преподобного. Увы, хотя житие Кирилла и сохранилось в десятках списков, Ключевский имел дело с не самой первой редакцией — в доступных ему списках житие имело предисловие (списанное, как он установил, из жития Евфимия Великого) и было анонимным — имя автора в них отсутствует. Единственный уцелевший список первоначальной редакции был найден позже, чем Ключевский мог бы с ним познакомиться.

Современные исследования показали, что первоначальная редакция могла быть создана не ранее ноября 1581 года (которым датировано последнее упомянутое в ней чудо) и не позднее августа 1582 года (поскольку в заглавии указан автор жития — Пимен, который именно до этого момента, правда не более года, был игуменом Новоезерского монастыря). Так что, скорее всего, если Пимен и общался с Дионисием сам, то задолго до написания жития.

При написании жития Пимен (если это действительно был он) использовал тексты житий Александра Свирского (в качестве образца при компоновании материала; автор уже упоминавшегося жития Ефрема Перекомского и вовсе «цитировал» этот текст большими кусками, заменяя лишь имена и названия), Зосимы и Савватия Соловецких (описания бесовских нападений на святого, устроения монастыря на острове, вступление к описанию одного из чудес), Кирилла Белозерского (описания чудес — как прижизненных, так и посмертных; рассказ о явлении Богородицы), Макария Калязинского (описание подвижнической жизни святого и рассказ о его кончине), Саввы Вишерского (описание подвигов святого, посмертного чуда) и Исидора Твердислова (описание двух чудес).

Впрочем, и упомянутое житие Александра Свирского при таком анализе демонстрирует добрый десяток аналогичных источников, так что подобное «цитирование» в то время было обычным делом. Разве что житие Александра Свирского опиралось больше на переводные жития «византийского разлива», а житие Кирилла, созданное уже после соборов 1547-го и 1549 годов, когда был создан немалый задел житий русских святых — только на «отечественные» тексты.

Основная же редакция жития Кирилла (именно с ней имел дело Ключевский) известна на сегодня в 76 списках, относимых к началу XVII — концу XVIII веков (есть еще и списки XIX века), которые местами весьма существенно разнятся между собой — впрочем, в основном в части перечисления и описания чудес. Эта редакция жития создавалась для церковного прославления святого — и потому претерпела некоторые изменения по сравнению с изначальным текстом.

Ранний вариант основной редакции (известный в 25 списках, 11 из которых включают также и службу святому) отличался прежде всего наличием предисловия и добавлением нового чуда (датированного 1620 годом), а также тем, что здесь впервые основание Новоезерской обители дано под 1517 годом; имя игумена Пимена как автора уже отсутствует. Текст также подвергся стилистической правке, став одновременно и более цельным, и более отстраненным, также ощущается уже удаленность во времени от описываемых событий. Меньше стало авторских рефлексий, мелких, но важных для исторической достоверности деталей. Корнилий Комельский в этой версии уже именуется преподобным, а не блаженным, поскольку в 1600 году он был канонизирован. Изменилась и трактовка пророчества Кирилла — в первоначальной редакции речь шла о Царе Небесном (поэтому его сопровождал эпитет «Господь»), в основной же Кирилл говорит уже о «государе», то есть о царе земном. Стоит отметить, что списки ранней версии основной редакции очень стабильны — разночтения между ними несущественны (в основном речь идет о стилистических правках и незначительных сокращениях), текст же службы везде (где он есть) писан той же рукой, что и само житие — то есть копировались они в комплексе. Эта версия написана примерно в 1625 году (не позднее 1628), к этому же времени относится и начало церковного прославления Кирилла. Вариант, найденный в «Четьях-Минеях» Германа Тулупова, дополнен описанием чуда 1627 года, а вариант в «Четьях-Минеях» Иоанна Милютина не содержит предисловия.

Примерно в это же время (при царе Михаиле Федоровиче и патриархе Филарете) была предпринята попытка канонизации Кирилла, о чем пишет Е.Е. Голубинский в своей «Истории канонизации святых в Русской церкви»:

«Первая попытка к установлению празднования Кириллу была сделана при царе Михаиле Федоровиче и патриархе Филарете, когда, после длинного ряда чудес, было совершено им одно выдающееся чудо. Из монастыря донесено было о чуде царю и патриарху; царь и патриарх поручили произвести дознание о чуде митрополиту Ростовскому Варлааму, а этот в свою очередь возложил поручение на Кирилло-Белозерского (монастыря) игумена Филиппа. «Игумен же, — читаем в житии преподобного Кирилла, — с преждеприбывшим игуменом Никоном свидетельствоваша, во свидетельстве же быша вси граждане и Белозерского уезда власти и протопоп (Белозерский) и священницы и всяких чинов мнози люди, единогласно о сих Божиих чудесех великаго чюдотворца Кирилла и о сем*

явлении (по поводу которого было дознание), *от мала же и до велика, свидетельствоваша и писании утвердиша и не токмо та Божия чюдеса видевшее и истинно сказаша, но и мнози и иныи чюдеса поведаша и писания свои о сем утвердившее»*. Донесение о произведенном дознании послано было игуменом митрополиту, который в свою очередь представил его царю и патриарху; но дело осталось почему-то без дальнейшего движения...» Тем не менее почитание Кирилла как чудотворца началось именно в этот период.

Так называемый поздний вариант основной редакции (известен в 10 списках) появился в середине XVI века. И хотя в нем еще нет ни слова об обретении мощей Кирилла, появление его связано именно с этим событием и последовавшей после него канонизацией — для прославления нового святого просто растиражировали уже имевшееся житие. Изменения в тексте самого жития свелись в основном к стилистическим правкам и «осовремениванию» языка. Более важно, что поменялись интерпретации некоторых чудес. Да еще крестьяне, ранее владевшие Красным островом, в этом тексте передают его монастырю сразу и безоговорочно.

Только в 1660–1670-е годы появляется расширенная версия этого варианта жития, в которой к тексту собственно жития и перечню чудес добавляются «Слово на обретение мощей» и «Чудо о Иване Грозном», а текст жития приводится в соответствие с их содержанием в случаях разночтений (известно 18 списков); на основе этой версии была создана проложная редакция. «Слово...» не датировано, но исходя из упоминания в нем перенесения мощей в храм в 1652 году и прославления в нем не только Кирилла, но и боярина Бориса Морозова, на чьи деньги строился этот храм, во время возведения которого и были найдены мощи — и который умер в 1662 году (о чем «Слово...» не упоминает), можно отнести написание «Слова...» ко времени между этими двумя датами. «Чудо...» же первоначально появляется в конце списка, хотя по хронологии должно быть одним из первых посмертных (позже это было исправлено). В дальнейшем продолжалась стилистическая правка, не прекращалось и редактирование пророчества.

В 1710-е годы в Новоезерском монастыре был создан так называемый «Кирилловский сборник» — полный свод текстов о святом. Среди аналогичных сборников, именуемых обычно монографическими (то есть посвященных только одному святому), «Кирилловский сборник» занимает третье место по распространенности — после сборников, посвященных Зосиме и Савватию Соловецким и Александру

Свирскому. Помимо четырех десятков миниатюр (созданных около 1659 года), он содержал новый (адаптированный к этому сборнику; судя по всему, его редактор работал с расширенной версией основной редакции, но с оглядкой на ранние ее версии; изменено деление на главы; само житие переименовано в «житие и чудеса...»; Кирилл более не именуется «новым» чудотворцем и т.д.) и окончательный (версии с более поздними изменениями в тексте самого жития неизвестны) вариант основной редакции жития, новую (вторую) редакцию «Слова...» и «Чуда...», Бденную редакцию Службы на день преставления, а также вновь написанные тексты: «Сказание о летах», службу на обретение мощей и молитву святому. Определенное стилистическое единство всех текстов и сходные приемы редактирования указывают на одновременность редактирования старых и создания новых текстов. Более поздние копии сборника обычно имели сокращенный состав (из 23 известных сборников 11 не включают службу на день памяти, а 14 — службу на обретение мощей); начиная со второй половины XVIII века часто совсем не включали богослужебные тексты, превращаясь таким образом в «книгу для чтения».

Вторая редакция «Чуда о Иване Грозном» получила целый ряд существенных дополнений — появилось подробное описание визита новоезерских монахов к царю, названы их имена (игумен Вассиан, инок Сильвестр), появилась дата чуда — 7050-й (1542-й) год, — определенная по древнейшей из сохранившихся монастырских грамот, датированной этим же годом. Именно в этой редакции это чудо в списке посмертных чудес «переехало» с последней позиции на третью, в соответствии с хронологией событий.

Существует еще так называемая историческая редакция жития Кирилла, дошедшая до нас только в одном списке — называемая так потому, что все события, описываемые в житии, связываются с тем или иным царствованием, кроме того, текст дополнен подробным рассказом о событиях Смутного времени. Для ее создания использовался ранний вариант основной редакции жития, с незначительными исправлениями по варианту со «Словом...» и «Чудом...», однако предисловие не воспроизводит таковое в основной редакции, а представляет собой совершенно другой текст, источник которого неизвестен. Кроме того, прослеживается использование грамот о царских пожалованиях 1584 и 1627 годов, добавлена запись Чуда 1627 года. Для придания тексту большей выразительности включены отрывки из «Хронографа» (в редакции 1617 года) и фрагменты из Иоанна Златоуста и Ефрема Сирина. Источник для описания событий Смуты в Белозерской земле неизвестен. В заглавии текста упоминается воцарение Алексея Михайловича (состоявшееся в 1645 году), а наличие «Слова...» и «Чуда...» отодвигают создание этой редакции за 1659 год (возможно, начало 1660-х годов).

Известны также так называемые краткие редакции жития. Впрочем, только проложная редакция и версия в Тихановском сборнике могут быть таковыми в строгом смысле. Тем не менее существуют и другие тексты, которые, не относясь к житийному жанру, содержат биографические сведения о Кирилле: уже упоминавшиеся «Сказание о летех», текст пророчества святого Кирилла, запись в Сказании о Тихвинской иконе Божьей Матери, запись в Месяцеслове.

Проложная редакция известна со второго полного издания Пролога (1659). Помимо сильных сокращений и измененной композиции, имеются и изменения в содержании — именно здесь впервые появляется упоминание, что «родися от благочестиву и богату родителю», чего не было ни в одной из предшествующих редакций жития; сильно сокращен рассказ о кончине преподобного, из него удалено заповедание Устава о недопустимости в монастыре хмельного пития, без изменений оставлено лишь Пророчество святого о Русской земле; неправильно указан год кончины святого (1537-й вместо 1532-

го). Эта редакция наиболее известна благодаря немалому печатному тиражу Пролога, сохранились и 13 списков.

Пророчество нельзя считать самостоятельным произведением (обычно это фрагмент основной или проложной редакции), хотя сохранились 16 списков, включающих только этот текст. Толкование пророчества святого со временем изменялось, редакторы постоянно пытались найти в нем актуальные для своего времени смыслы. Этому способствовало то обстоятельство, что, в отличие от пророчеств других святых, пророчество Кирилла Новоезерского в первоначальной редакции жития выступало как еще не сбывшееся.

В «Сказании о Тихвинской иконе Божией Матери», в списках второй половины XVII века, во второй и третьей редакциях, встречается упоминание о молитве Кирилла на паперти Тихвинской церкви, однако они сильно различаются между собой.

Установление почитания преподобного Кирилла Новоезерского обычно связывают с обретением его мощей. Это мнение было закреплено Е.Е. Голубинским в его книге «История канонизации святых в Русской церкви». Однако подробное исследование текстов, посвященных Кириллу Новоезерскому, и монастырской документации привело нас к выводу о том, что церковное почитание святого началось уже в первой половине XVII века, точнее — в конце 1620-х годов. Эту дату отделяет от времени создания первоначальной редакции жития полвека. Такое промедление в установлении церковного почитания стало следствием Смутного времени. Прославление преподобного Кирилла Новоезерского следует связывать, с деятельностью игумена Тита, возглавлявшего обитель в 1623–1632 годах. Именно в этот период была создана новая редакция жития Кирилла, составлена служба преподобному Кириллу (с использованием приобретенной для монастыря в 1624 году печатной Служебной минеи на март), написаны иконы с его изображением (видимо, для дарения), у гроба его начали служить молебны, пелись тропарь и кондак. Тогда же и случилось чудо, датированное 1627 годом. Оно же могло послужить поводом для канонизации Кирилла, тем более что все необходимые формальности были соблюдены: «полный процесс канонизации составляли: записывание чудес; донесение о них церковной власти с присоединением или без присоединения прямого ходатайства о совершении канонизации; дознание церковной власти об истинности чудес, и наконец, самое причтение подвижника к лику святых или самая его канонизация, с назначением дня для празднования его памяти».

Хотя Голубинский писал, что процессу канонизации не был дан ход, все же власти не противились почитанию и прославлению Кирилла. Опись монастырского имущества 1631 года отмечает вклад царя, обращенный не просто к Новоезерскому монастырю в целом, как прежние вклады, а непосредственно — чудотворцу Кириллу: «Да на чудотворцове гробнице покров бархат черной, крест шит, плетен, золотой... пожаловал государь царь и великий князь Михайло Федорович всея Руси». В начале 1630-х годов списками жития преподобного Кирилла и его иконами стали благословлять вкладчиков монастыря; у мощей преподобного стали петься молебны, на гробе была положена икона преподобного. Наконец, в 1646 году Московский Печатный двор выпустил «Служебную минею» и «Месяцеслов», где были помещены соответственно служба и память преподобному Кириллу (хотя канонизирован он еще не был). Количество икон преподобного в монастыре со временем увеличивалось — к моменту обретения мощей в 1649 году в часовне и церквах было уже 10 икон, кроме того, приготовили и 40 приготовлено «раздаточных». Похоже, в монастыре начали готовиться к строительству нового каменного храма, и, возможно, обретению мощей, заранее. О том, что случилось дальше, здесь уже говорилось.

Хотя лично для меня так и осталось неясным — если многие из посмертных чудес происходили у гроба преподобного Кирилла... А чудо 1627 года было связано с поднятием помоста *над ним*... Как случилось, что мощи были обретены при строительстве нового храма — найдены при копании рва под фундамент *в стороне* от существующей гробницы (пусть и на небольшом от нее расстоянии)? Если могила Кирилла не была потеряна? Или гробница до этого была пуста? Увы, нет ответа на этот вопрос — выше говорилось о судьбе мощей Кирилла и Новоезерского монастыря в советское время.

Пожалуй, стоит уделить внимание собственно чудесам святого Кирилла — это о них В.О. Ключевский написал, что «...ряд посмертных чудес не одинаков в разных списках, и трудно угадать, где остановился биограф и откуда начинаются позднейшие прибавки...»

И действительно, если в первоначальной редакции жития упоминалось 7 прижизненных и 17 посмертных чудес, то с каждой новой редакцией их становилось все больше, причем не только потому, что за прошедшее с предыдущей редакции время случились и были записаны новые чудеса. Да и сами описания этих чудес менялись — как в языке и стиле, так и в «идейной направленности». Хотя и в первоначальной редакции житие Кирилла не претендовало на историческую ценность — больше на духовно-литературную. Впрочем, подавляющее большинство приписываемых святому Кириллу и его мощам чудес — исцеление от неназываемых (по большей части) болезней. Однако при тогдашнем уровне медицины любое исцеление выглядело чудом. Любопытно, что три посмертных чуда относятся и вовсе к одной семье Текутовых из Белозерска. Гробница Кирилла (да, именно гроб, ибо мощи были обретены при строительных работах, саму гробницу не затрагивавших) одинаково хорошо излечивала от зубной боли и лихорадки, тяжелой беременности и бесноватости. Чудо со старцем Кириаком (самое первое из посмертных), увы, ничего не говорит о дальнейшей судьбе старца, поднятого явлением во сне Кирилла на рыбалку. А последнее упомянутое в первоначальной редакции чудо (об исцелении Антонины, жены священника) выглядит не совсем милосердно — святой будто бы покарал ее за неисполнение обета возвращением болезни. Напоминает эпизод из жития Прокопия Перекомского, который позволил умереть от болезни устюжанам, не давшим обет поставить во имя его храм.

Первые три прижизненных чуда (ослепление разбойников, спасение порубщика Евдокима, возвращение украденных колоколов) известны нам исключительно со слов иноков обители. Чудо предсказания диакону Николаю рождения ребенка выглядит действительно... чудесно. Ведь речь о диаконе из не такой уж далекой от Красного острова обители. То есть оставил он жену без видимых признаков беременности — а вернувшись, застал уже с младенцем. Это что же — он минимум полгода отсутствовал? Но ведь диакон — не купец и не посол...

Удивительно, что самое «громкое» из чудес — спасение царя Ивана Грозного — появляется далеко не сразу и лишь как приложение к житию. И впоследствии не только занимает место сообразно хронологии чудес, но и сильно прирастает содержанием (в первой редакции «Чуда о Иване Грозном», отстоящей от второй минимум на сорок лет, не было ни даты события, ни имен участников, кроме царя и святого, ни описания визита к царю игумена Вассиана с иноком Сильвестром, ни упоминания о царских дарах обители). Интересно также, что после канонизации Кирилла история знает лишь два записанных чуда в XVIII веке. Последующие два столетия не добавили в список ни одного. А в XX веке мощи святого, как уже говорилось, и вовсе пропали. Незавидная судьба досталась и созданной им обители...

Герман, архиепископ Казанский

Этот деятель Русской православной церкви, славный своим благочестием и силой духа, родился около 1505 года в городе Старица, что близ Твери, в семье боярина Феодора Садырева-Полева и наречен был Григорием. С юных лет он возлюбил молитву и чтение святых книг. Достигнув двадцати пяти лет, Григорий пришел в Иосифо-Волоколамский Успенский монастырь, игуменом которого был Гурий (будущий архиепископ Казанский), который постриг Григория в монахи и нарек его при этом Германом, и осуществлял духовное руководство над ним.

В Волоколамской обители Герман усердно трудился над переписыванием священных книг (в описи монастыря под 1545 годом упоминаются Евангелие и Богородичник, под 1573 — еще и Псалтирь, исполненные его рукой); был близок с жившим там в заключении преподобным Максимом Греком. В свободное от исполнения послушаний и писания книг время Герман усердно читал, пользуясь богатой монастырской библиотекой, ревностно исполнял послушания и вел строгую подвижническую жизнь.

В 1551 году братия Старицкого Успенского монастыря, прослышав о его благочестии, пожелала видеть его своим игуменом. В том же году епископ Тверской Ананий рукоположил его во иеромонаха, затем возвел в сан архимандрита и поставил настоятелем этой обители. Вступив в управление монастырем, Герман с пастырской ревностью заботился о его благоустройстве — как внешнем, так и внутреннем. Для братии он являл собой образец смирения и кротости. Он требовал ото всех строгого соблюдения иноческих обязанностей, и привнес в Старицкую обитель устав преподобного Иосифа Волоцкого, основателя Волоколамского монастыря. Но через два с половиной года архимандрит Герман покинул Старицкий монастырь, доведенный им до состояния полного благополучия, передав начальство в нем Иову, своему постриженнику, впоследствии первому патриарху Московскому. Любовь к уединенным подвигам вернула его в Волоколамский монастырь, где Герман спасался как простой инок. Когда же в 1553 году в Москве появился новый еретик Матфей Башкин (не признававший Святых Тайн и отрицавший веру в Святую Троицу), Герман вместе со своим отцом (который принял постриг в той же Волоколамской обители) был призван на церковный собор в Москву. Собор осудил еретика Башкина и постановил послать его для вразумления в Волоколамскую обитель под надзор Герману, известному святой жизнью ревнителю Христовой веры.

После покорения Казани архиепископом Казанским в 1555 году был назначен бывший игумен Волоколамского монастыря Гурий. Ему было поручено первым делом устроить обитель в Свияжске, чтобы она была рассадником веры и благочестия в этом крае, до сих пор мусульманском. Настоятелем новой обители Успения Пресвятой Богородицы в Свияжске по указанию Гурия был назначен Герман. Получив от Ивана Грозного богатое вспомоществование, Герман ревностно занялся сооружением каменных церкви Николая Чудотворца (1556) и Успенского собора (1558) и келий для иноков. Основанное в Казани подворье Свияжской обители со временем разрослось в самостоятельный Иоанно-Предтеченский монастырь. Благоустраивая обитель, сам он жил очень скромно, поселившись в малой келье под колокольней, когда храм был достроен. Вскоре Свияжская обитель сделалась средоточием христианской проповеди для язычников, населявших правый берег Волги. Основой просвещения являлись прежде всего книги. И настоятель Герман знал это очень хорошо — более 150 книг пополнили библиотеку монастыря за восемь лет, которые он был в нем настоятелем. Опыт в этом деле он приобрел еще в Волоколамской обители. Архиепископ Гурий оказал своему усердному помощнику особенное доверие — поручил суду его все сельские церковные причты Свияжского уезда, а Успенский монастырь освободил от своего суда. По смерти Гурия собором русских епископов Герман был признан достойным занять архиерейскую кафедру. И 12 марта 1564 года Герман стал архиепископом Казанским и Свияжским. Герман успешно управлял епархией, продолжая дело своего предшественника и учителя. При нем усилилась миссионерская деятельность, воздвигались новые храмы, при монастырях открывались школы — православие утверждалось в этом прежде языческом крае.

В 1566 году Иван Грозный вызвал Германа в Москву и повелел избрать его митрополитом Московским. Герман сначала попытался отказаться, понимая, что может принести ему эта кафедра в такие времена. Но царь не потерпел возражений и приказал Герману поселиться в положенных митрополиту покоях еще до возведения в сан. Видя многие несправедливости со стороны царского окружения, Герман попытался вразумить царя, заговорил с ним о его грехах, о Страшном суде Божием, на котором все подданные и цари должны будут дать отчет перед Господом, перед которым страшно будет презревшим закон Божий, кем бы они ни были. Царь вышел от Германа в ярости. Он рассчитывал увидеть в нем своего покорного слугу, однако услышал, как тот обличает бесчинства его опричников. Германа с бесчестьем вышвырнули из митрополичьих палат, но не отпустили в Казань, как он и прежде просился, а содержали в Москве, в заключении. Поэтому избрание в митрополиты Филиппа прошло без его участия, хотя как архиепископ Казанский он должен был присутствовать. Многие тогда были уверены, что он уже умерщвлен. Однако на посвящении Филиппа в митрополиты он присутствовал. Слушая речь Филиппа, обращенную к Ивану Грозному, Герман увидел, как царь был разгневан словами митрополита и потребовал осудить его. Он не с чужих слов знал, какие гонения и страдания ожидают Филиппа. И он один заступился за него, когда прочие подчинились требованию царя. «Хотя бы и вся братия наша, — говорил Герман, — еще тьмами словес обносила перед тобою сего блаженного — ни один из них не сказал тебе правды. Сей человек от юности своей никогда не произносил неправды и не знал никакого лицемерия!» Царь безмолвствовал, не найдясь, что ответить на столь дерзновенные речи. Но слова Германа не спасли Филиппа от заточения и смерти.

Это был последний подвиг святого Германа. Он преставился 6 ноября 1567 года в Москве, во время морового поветрия, и был «погребен по чину святительскому», в церкви святителя Николая «Мокрого». В последний путь его проводили архимандриты Иродион (настоятель Свияжского Успенского монастыря) и Иеремия (настоятель Казанского Спасского монастыря).

В 1595 году (по другим источникам, в 1592 году) жители Свияжска добились от царя Феодора Иоанновича и патриарха Иова разрешения перенести тело святого Германа в свой город. Гроб с мощами святителя встречал митрополит Казанский Гермоген, впоследствии патриарх Московский и всея Руси. Мощи были поставлены в алтаре Успенского храма Свияжской обители. Тогда же совершилось несколько чудесных исцелений, в том числе прозрели два слепца.

При митрополите Лаврентии, управлявшем Казанской епархией с 1657 по 1672 год, была составлена служба святителю Герману и написано его житие. Автором жития был инок Свияжского монастыря Иоанн. Всероссийское прославление святителя Германа началось после освидетельствования его святых мощей митрополитом Маркеллом, по благословению патриарха Адриана. 6 октября 1695 года Маркелл (митрополит Казанский в 1690–1699 годах) переложил мощи в новую гробницу. В следующем году часть их была передана в город Симбирск по просьбе жителей города (также в 1849 году частица мощей святого Германа была передана в Казанский Иоанно-Предтеченский монастырь). В тот же год состоялась и канонизация святого Германа в лике святителя. При преемнике Маркелла Тихоне (митрополит Казанский в 1699–1724 годах) была составлена особая служба, употреблявшаяся за богослужением в Свияжской обители до середины XIX века. В 1857 году архиепископ Евлампий, бывший Тобольский, живший в Свияжском монастыре на покое, составил акафист святителю Герману, а в 1860 году — новую службу.

В 1923 году в рамках советской антирелигиозной кампании рака с мощами святителя Германа была вскрыта, а после закрытия монастыря в 1925 году мощи исчезли. В 2000 году была обретена частица мощей святителя Германа, которая в ковчежце была сокрыта под престолом кладбищенского храма Ярославских Чудотворцев, куда она была перенесена в 1929 году из упраздненного Иоанно-Предтеченского монастыря. Эту частицу разделили на две части для Свияжского и Иоанно-Предтеченского монастырей.

Примерно так история святителя Германа Казанского изложена в его житии. Разве что добавлена совсем небольшая часть, посвященная событиям, имевшим место после его написания, и уточнены некоторые детали, о которых автор жития не мог знать.

Но действительно ли все было именно так?

В отличие от святых более раннего периода, биографы святого Германа могли опираться не только на его житие. Помимо житий святителей Гурия Казанского и Варсонофия Тверского (написанных митрополитом Казанским Ермогеном, впоследствии патриархом Московским и всея Руси), жития митрополита Филиппа (Колычева), к таким источникам могут быть отнесены «летописцы» волоколамский (Игнатия Зайцева) и казанский (Иосифа Крылова), другие летописи, различные акты и даже книга князя Андрея Курбского «История о великом князе Московском». Князя, который был приближенным Ивана Грозного, а потом вынужден был бежать, спасаясь от царского гнева.

Итак, год рождения святого Германа не является результатом чьих-то расчетов. День и месяц назвать невозможно, но по сравнению с большинством других святых и это — немалый прогресс. Известно и его мирское имя, которое он носил до пострига. Урожденный Григорий Федорович Садырев-Полев. Князь Курбский в своей «Истории...» говорил о княжеском происхождении Германа, относя его к роду Полевых, происходивших от смоленских князей. Будто бы прапрадед Германа, Федор Полев, был последним, кто мог претендовать на княжеский титул, но потерял его, поступив на службу к Борису — волоцкому (волоколамскому) князю. Полевы имели вотчины в Волоцком уезде и даже были связаны с Иосифо-Волоцким Успенским монастырем (имея в нем родовую усыпальницу) — тем самым, где Григорий принял постриг. Правда, есть одна странность — в родословных книгах рода Полевых не упомянуты ни сам святитель Герман, ни его отец. Возможно, это следствие судьбы святого Германа — и записи были уничтожены. Но не будем гадать.

Во всяком случае отец Григория — Садырь Полев (в крещении Феодор, в иночестве Филофей) действительно имел вотчины в Волоцком уезде. Есть грамота 1527 года, где он фигурирует как свидетель продажи Иосифо-Волоцкому монастырю деревни, а в 1531 году сам пожертвовал обители принадлежавшую ему деревню и принял постриг. В монастыре в разное время был келарем, казначеем, одним из соборных старцев (участвуя при этом в совершении земельных сделок). Похоже, и отец и сын принадлежали к так называемым иосифлянам — то есть тем, кто не считал зазорным для монастырей иметь крупные земельные владения. Непонятно только, как Герман при таких взглядах (его действия в дальнейшем наводят на мысль, что он был единомышленником отца в вопросах монастырской собственности) мог действительно сойтись с Максимом Греком — который оказался в ссылке в той же обители как раз за критику подобных взглядов. Кроме того, на то, чтобы подружиться с Максимом, у него было совсем немного времени, учитывая занятость молодого инока в послушаниях и переписывании книг. Если отталкиваться от рождения Григория-Германа около 1505 года и его пострига в 25-летнем возрасте, то выходит, что в обители он оказался примерно в 1530 году (вряд ли намного раньше). А в 1531 году Максим Грек был осужден за свои взгляды повторно и переведен в другой монастырь. Так что даже если Герман был знаком с Максимом, вряд ли они могли беседовать часто и подолгу.

В 1551–1553 годах Герман являлся архимандритом Старицкого монастыря, который при нем достиг процветания и благополучия — лишнее свидетельство того, что если Герман и симпатизировал Максиму Греку, то взглядов его не разделял безоговорочно, полагая проповедуемое Максимом нестяжательство чрезмерным. До этого Герман являлся игуменом Отмицкого (Вотмицкого) Покровского монастыря в устье реки Тьмы близ Твери (но, видимо, недолго — большинство биографов Германа, как и краткие версии его жития, об этом эпизоде обычно не вспоминают). Оставив Старицкий монастырь под присмотром Иова, будущего патриарха, Герман отбыл в Москву. Достоверно неизвестно, по какой причине он туда поехал, однако в Москве он принял участие в соборе, судившем еретика Матфея Башкина. Выражаясь современным языком, отец Германа, старец Филофей «вел судебный процесс». Житие утверждает, что Герман сначала вернулся в Иосифо-Волоцкий монастырь, где снова стал простым иноком, и уже оттуда — через какое-то время — вместе с отцом отбыл на собор. Но, скорее всего, Герман был вызван в Москву из Старицы и ехал туда либо напрямую, либо через Волоколамск (но в этом случае был там лишь проездом, чтобы ехать дальше вместе с отцом). Впрочем, это всего лишь мое предположение (вполне логичное, по-моему), которому нет никаких документальных подтверждений. Но вот уже после собора, приговорившего еретика к ссылке в Иосифо-Волоцкий монастырь, Герман, сопровождавший Башкина к месту заточения, остался в Волоколамске монастырским казначеем и не раз участвовал в делах по покупке или продаже земли.

Впрочем, на этот раз Герман задержался в Волоколамске ненадолго. После завоевания Казани бывший настоятель Иосифо-Волоцкой обители Гурий стал первым архиепископом Казанским. Естественно, что в помощь себе Гурий привлек тех, на кого мог положиться. В феврале 1555 года Герман стал архимандритом новоучрежденного Успенского монастыря в Свияжске. Вместе с Варсонофием, архимандритом еще одного нового монастыря — Казанского Спасо-Преображенского (в 1567–1570 годах епископом Тверским, впоследствии также канонизированным вместе с Гурием и Германом в 1595 году), возглавил миссионерскую деятельность по христианскому просвещению жителей бывшего Казанского ханства — Варсонофий отвечал за саму Казань и левобережье Волги, Герман — за правобережье («нагорную область»), причем действовал активнее и куда успешнее Варсонофия — в Свияжском монастыре приняли православие тысячи чувашей и татар. Однако не забывал Герман и о «благе обители» — в 1557 году, когда Казанская война завершилась окончательной победой войск Ивана Грозного и началась раздача брошенных прежними жителями земель, свияжский архимандрит добился выделения своему монастырю в собственность огромных земельных массивов в Казанском и Свияжском уездах, причем уже при Германе эти земли активно осваивались. Благодаря своему первому настоятелю Свияжский монастырь стал крупнейшим в крае землевладельцем (когда Екатерина II запустила в 1764 году секуляризацию церковных владений, на землях, которые монастырь успел получить при Германе, находилось около 60 сел и деревень, в которых только ревизских душ насчитывалось более 8 тысяч; разговор о том, зачем императрица пошла на это и как влияли на экономическую жизнь России подобные землевладения — к слову, необлагаемые никакими налогами — стоит как минимум отдельной книги).

В Свияжске Герман получил горькую весть — в 1561 году его отец, остававшийся в Иосифо-Волоцком монастыре, был зарезан при, как теперь принято говорить, «невыясненных обстоятельствах».

После смерти архиепископа Гурия Герман в марте 1564 года был избран архиепископом Казанским. Согласно житию Варсонофия Тверского, Герман «пас Церковь Божию три лета и восемь месяцев». Впрочем, в Казани он провел не более двух лет. В конце весны 1566 года он выехал в Москву для участия в земском и церковном соборах. В Казань, как известно, Герман уже не вернулся.

Трудно сказать, когда именно Иван Грозный выбрал Германа для избрания в митрополиты. Вполне возможно, что Герман действительно выехал в Москву, уже зная об этом. Однако не менее возможно, что он узнал об этом уже в Москве. Так или иначе, но церковному собору предстояло избрать нового митрополита Московского — 19 мая митрополит Афанасий (избранный всего-то в феврале 1564 года) оставил кафедру. Официально — «по состоянию здоровья», но, скорее всего, из-за конфликта с опричниками.

Архивные документы говорят, что 9 июня 1566 года, в воскресенье, архиепископ Казанский Герман, архиепископ Новгородский Пимен и епископ Ростовский Никандр служили литургию в московском Успенском соборе.

Учитывая расстояние от Казани до Москвы и состояние дорог, а также время, требуемое на сборы в дорогу и на последующее размещение в Москве, все же, думаю, можно предположить, что Герман начал собираться в дорогу еще до изгнания Афанасия.

Подпись Германа стоит на приговорной грамоте Земского собора о продолжении войны с Литвой (впрочем, графологи обращают внимание на то, что подпись Германа по почерку очень схожа с подписью Пимена), датированной 2 июля того же года. В Никоновской летописи под 25 июля имя Германа названо среди участников освященного собора, который избрал митрополитом Филиппа (хотя подписи Германа и суздальского епископа Елевферия на «приговоре» об избрании митрополита отсутствуют). По всей видимости, имевший столь печальные последствия разговор «почти митрополита» с царем состоялся в конце июня — начале июля, раз уж собор избирал не Германа, к кандидатуре которого царь склонялся изначально. Все же в писцовой книге Казани — в записи, сделанной в начале 1567 года — при описании архиерейского дома Герман упоминается все еще как архиепископ.

Обстоятельства же кончины Германа покрыты мраком. Князь Андрей Курбский в своей «Истории о великом князе Московском» описывал это следующим образом (в переложении на современный русский язык):

«...Еще до возведения на митрополию Филиппа великий князь умолил занять митрополичий престол казанского епископа Германа. Герман возражал, но принужден был стать митрополитом решением Освященного собора. И говорят, что уже в первые два дня пребывания на митрополичьем дворе он тяготился своим великим саном, так как не хотел нести свою службу под таким лютым и безрассудным царем. Он начал с ним беседу, напоминая тихими и кроткими словами о Страшном суде Божьем и нелицеприятном наказании каждого человека за дела его, будь он царем или простым человеком.

После этой беседы царь отправился в свои палаты и рассказал своим любимым льстецамласкателям о совете митрополита. К нему тогда слетались отовсюду вместо добрых и избранных людей не только паразиты злые, прелукавые соблазнители, но и всякие воры (тати) и воистину разбойники и другие нечестивые люди.

Они испугались, что царь послушает совета епископа и тогда всех их прогонит от лица своего и им придется отправиться в свои пропасти и норы. Как только они услышали от царя эти речи, то единым словом отвечали ему: «Боже сохрани тебя от такого совета. Разве хочешь, о царь, быть у того епископа в неволе еще горшей, нежели пребывал у Алексея и Сильвестра перед этим несколько лет?» И молили его коленопреклоненно со слезами, особенно же один из них — Алексей Басманов с сыном своим. Он послушал их и приказал епископа из церковных палат изгнать, говоря: «Еще и на митрополию не возведен, а уже меня обязуешь неволей». И дня через два был найден мертвым в своем дворе епископ Казанский. Говорят, удушен был тайно, по цареву повелению, или ядом смертоносным уморен...»

Курбский излагал дело таким образом, что Герман был убит (удушен или отравлен) до поставления Филиппа в митрополиты, то есть не позднее 25 июля 1566 года. Однако помимо жития, относящего кончину архиепископа Казанского на ноябрь 1567 года, существуют и другие документы, подтверждающие, что тот был жив и не лишен сана в первой половине того же года. Напомню еще, что Курбский писал об этом, находясь за пределами Московской державы и опираясь лишь на слухи, доходившие до него из Москвы.

Житие святителя Филиппа, соглашаясь с книгой Курбского в том, что смерть Германа была насильственной, предлагает другую версию его гибели — будто бы архиепископ Казанский после бесчестного изгнания из митрополичьих палат был схвачен и заперт в келье, где и был впоследствии (спустя год с лишним) убит — неизвестный опричник отрубил ему голову двумя ударами топора. Эта версия довольно неожиданно подтвердилась в 1888 году, когда проводилось переоблачение мощей святого Германа. Поскольку в результате данного переоблачения стали очевидны следы насильственной кончины, настоятель Свияжского монастыря архимандрит Вениамин исправил службу Герману и написал акафист, в котором святитель прославлялся как страстотерпец (то есть мученик, но погибший не за веру, а в силу злобы и ненависти, корыстолюбия и коварства близких людей и даже единоверцев). Однако Святейший Синод своим определением, вынесенным годом позже, не разрешил публикацию этих текстов. Все же Вениамин в итоге добился своего — увиденное им отразилось в новонаписанном житии святого Германа, написанном П.В. Знаменским и изданном в Казани в 1894 году. Вскрытие мощей большевиками в начале 1920-х годов лишний раз подтвердило достоверность жития Филиппа в отношении смерти Германа.

Неизвестно, насколько реальна дата смерти Германа — 7 ноября 1567 года, — приводимая в его житии, учитывая многие свидетельства того, что умер он не от болезни, однако надо думать, что она может быть довольно точной, поскольку 2 февраля 1568 года архиепископом Казанским был избран Лаврентий (о котором известно только, что до этого с 1564 года являлся настоятелем уже упоминавшегося Иосифо-Волоцкого монастыря, куда он и возвратился, оставив архиерейскую кафедру в конце 1573 года, и где скончался через несколько месяцев).

Но эти сведения по большей части — достижения ученых-историков. А что же, собственно, житие святого Германа?

Увы, В.О.Ключевский в уже не раз здесь цитированной книге «Древнерусские жития святых как исторический источник» написал о житии Германа следующее:

«По поручению казанского митрополита Лаврентия (1657–1673) монах свияжского Успенского монастыря Иоанн написал житие основателя этого монастыря, казанского архиепископа Германа с чудесами и надгробным словом; последнее, как видно, было даже произнесено автором публично в Казани. Житие и слово изложены очень витиевато, «широкими словесами», по выражению автора, но скудны известиями».

Далее Василий Осипович разъясняет это свое «скудны известиями»:

«Поздний биограф откровенно признается, что многого не знает о Германе и не нашел никого из его современников; не раз он просит читателя не требовать от него подробностей, ибо темное облако забвения покрывает память святого, благодаря отсутствию старых записок о нем».

В общем, мы в очередной раз имеем дело с талантливым литературным произведением, основанным больше на житийной традиции, чем на реальных исторических деталях, к тому же весьма немногочисленных и не слишком жестко скоррелированных между собой. Да еще и без ошибок не обошлось. В примечании к вышеприведенному фрагменту Ключевский дал следующие пояснения и добавления:

«Список XVIII века... Нач[инается словами] «Уме промыслительный мой! К тебе убо в настоящее сие время беседую». После прибавлены к труду Иоанна новые чудеса 1675–1679 годов с любопытной заметкой о раскольниках в Казанском крае. Есть в житии и неточности: так, причиной низвержения митрополита Филиппа выставлен отказ его благословить царя на разгром Новгорода, что было уже после низвержения; точно так же Герман не мог защищать Филиппа в 1568 году по этому поводу, о чем много говорит житие. Архиепископ Филарет [в своем «Обзоре русской духовной литературы, том I, 351] по ошибке называет автором жития митрополита Лаврентия...»

К вышесказанному можно добавить, что авторы недавнего фильма «Царь», который многие воспринимают как исторически достоверный, умудрились исказить события куда больше, чем Иоанн — в нем войска Стефана Батория вышибают русский гарнизон из Полоцка при жизни Германа, хотя в реальности к этому моменту казанский архиепископ уже лет двенадцать как умер (Полоцк был взят московским войском в 1563 году и снова занят Баторием в 1579 году).

Разумеется, «темное облако забвения покрывает память» не только об одном Германе Казанском, но еще и о многих-многих других преподобных и блаженных, святителях и благоверных, поминаемых православным церковным календарем. Но составители многих прочих житий не были так самокритичны, как свияжский инок Иоанн, который — немыслимое дело —

извинялся перед читателем за недостаток сведений. Эти прочие агиографы не признавались в том, что заполняли зияющие пустоты в образах святых вместо отсутствующих (и порой вполне восполнимых) сведений старым, спертым воздухом церковного красноречия и общих мест, как впоследствии стали набивать уже ватой мощи этих же угодников Божьих, сдавшиеся в борьбе с неумолимым временем, чтобы получить «подобие нетленных тел», покоящихся в раках. Или и вовсе заключать их в ковчеги, как и хранить «под спудом» (а нередко и делать вид, что они там есть).

Итак, житие святого Германа, второго архиепископа Казанского и несостоявшегося митрополита Московского, дает нам немного — в плане описания реальных событий его жизни, к тому же отягощает свой рассказ явными ошибками и искажениями. Хотя даже без упоминания истинных причин его кончины, это мог быть весьма интересный исторический документ, а не только произведение духовной литературы, написанное по определенному шаблону.

А что же сам Герман? Насколько он был достоин почитания и причисления к лику святых? Что ж, история не сохранила никаких намеков на какие-то несусветные грехи, которые могли бы за ним водиться. И при столь афишируемой заботе о благе братии сам он при этом жил вроде как весьма скромно. Тем не менее любопытно, что при всей своей праведности он весьма прагматично и хозяйственно подходил к вопросам обеспечения этого самого блага — будучи казначеем Иосифо-Волоцкого монастыря, прирастил его владения, участвуя в земельных сделках обители. А перебравшись в Свияжск, не только строил храмы и просвещал язычников, но и сумел прибрать весьма изрядный кус далеко не худших «ничейных» земель — настолько изрядный, что следующие двести лет монастырю не было нужды прикупать еще деревеньки (о размерах этих владений говорилось выше). Любопытно, что деятелей подобного рода весьма приветствовали «заклятые друзья» как православных, так и католиков — европейские протестанты, одним из девизов которых было утверждение «богатеть — дело богоугодное». Во всяком случае, его вполне можно отнести к числу тех, кто иллюстрирует собой неразборчивость канонизирующих — ведь если канонизировать всех, кто жил более-менее порядочно, если уж не праведно, и все равно стал жертвой суровых — вне зависимости от столетия — российских реалий, то под этой обложкой не вместится даже сотая часть только перечня имен, без каких-либо подробностей...

Афанасий,
патриарх Константинопольский

Не все святые были легендарными персонажами русской истории. Речь пойдет о патриархе Афанасии III Пателларии, в России больше известном как святитель Афанасий Цареградский (или Афанасий Сидящий). Известен он также как Лубенский чудотворец (по месту своей смерти) и Афанасий Харьковский (по месту нахождения его мощей).

О такой нерядовой фигуре история сохранила довольно много достоверных сведений.

По происхождению он был грек из знатного рода, связанного с династией Палеологов. Родился в Ретимноне на Крите, тогда принадлежавшем венецианцам, при рождении был назван Алексием. До 26 лет жил и учился в монастыре Аркадиу, получил блестящее образование. Но мирская слава не привлекала его, и после смерти отца он принял постриг в рясофорные монахи с именем Ананий. Совершил путешествие в Палестину, где в одном из монастырей принял иноческий постриг с именем Афанасий. В дальнейшем прославился как выдающийся проповедник и толкователь Священного писания. В 1626 году Афанасий был назначен учителем в Валахию (область на юге современной Румынии). Находясь там, по поручению патриарха Кирилла I Лукариса, своего земляка, перевел Псалтирь с греческого на местное наречие. Позже Лукарис вызвал его в Константинополь и назначил проповедником при патриархате. В 1631 году Афанасий был рукоположен в митрополиты Фессалоникийские. Противодействие турок вело к обнищанию и огромным долгам кафедры, в поисках средств Афанасий обращался и к русскому царю Михаилу Федоровичу, однако предоставленная им помощь оказалась слишком уж символической. В 1633 году Кирилл I Лукарис был низложен, его место занял главный его противник, Кирилл II Кондарис. Но тоже не сумел угодить султану и в 1633 году был низложен и сослан.

В феврале 1634 года патриархом был избран Афанасий под именем Афанасия III Пателлария. Интронизация его состоялась 25 марта, но уже через несколько дней он уступил престол возвратившемуся из ссылки Лукарису и уехал на Афон, где поставил келью, на месте которой впоследствии — в середине XIX века — возник русский скит апостола Андрея. В 1635 году Кирилл I Лукарис был низложен снова, вместо него опять был избран Афанасий. Вскоре он вынужден был опять покинуть престол, уехал в Италию, жил в Анконе и Венеции. Там он получил предложение от папы римского стать кардиналом — при условии подписания католического символа веры. В 1637 году Афанасий вернулся в Константинополь, где Лукарис снова занял патриарший престол. Увы, ненадолго — в июне следующего года он был казнен турками. В августе 1639 года новый патриарх Парфений I потребовал от Афанасия отказаться от патриаршего титула и вернуться в Фессалоники. В 1643 году Афанасий решил отправиться к русскому царю, поскольку его письменные просьбы о помощи не получили достойного ответа. Дорога выдалась трудной, и Афанасий смог добраться лишь до Молдавии — где заболел и вынужден был воспользоваться гостеприимством господаря Василия Лупу. Отсюда он снова отправил в Москву просьбу о помощи. Вынужденный отказаться от продолжения путешествия, на обратном пути Афанасий основал в городе Галац в Валахии монастырь святого Николая. Здесь он задержался надолго. Лишь в начале лета 1652 года он прибыл в Константинополь, где в третий раз был избран патриархом. Успев лишь выступить с проповедью, в которой резко отмежевался от католичества, Афанасий спустя всего несколько дней после своего избрания, в июле того же года добровольно отрекся от престола, а 8 октября навсегда покинул Константинополь.

Афанасий намеревался осуществить свое давнее намерение посетить Москву и встретиться с русским царем, которого он полагал главным защитником православия. По пути ушедший на покой патриарх снова побывал в Яссах у молдавского господаря, заехал и в Чигирин к Богдану Хмельницкому. От обоих он вез послания русскому царю. Афанасий прибыл в Москву 16 апреля 1653 года, поселился на Кирилловском подворье и уже 22 апреля был принят Алексеем Михайловичем, который отнесся к нему со всем радушием и щедро одаривал Афанасия каждый раз, когда тот обращался к нему с челобитными о милостыне. Афанасий совершал богослужения в Новоспасском монастыре, в Спасском соборе Теремного дворца, в июне он посетил Троице-Сергиев монастырь. Не остался он и в стороне от затеянных патриархом Никоном церковных «исправлений», оказав на них немалое влияние, в том числе по просьбе Никона собственноручно написал (на греческом) «Чин архиерейского совершения литургии на Востоке», который впоследствии лег в основу уже печатного «Чиновника архиерейского служения», с незначительными изменениями используемого и поныне. 13 октября Афанасий встретился с царем и передал ему тетрадь, в которой излагалась доселе скрываемая главная цель его приезда — побудить русского государя в союзе с молдавским господарем и Запорожской Сечью начать войну с турками, чтобы освободить угнетаемые ими православные народы. Царю в случае победы отходил престол ромейских (византийских) императоров, а патриарх московский получил бы кафедру Вселенских патриархов. Что именно ответил Афанасию царь — неизвестно, но война так и не началась. Оригинал «тетради», видимо, не сохранился, до наших дней дошли лишь три списка русского перевода.

В конце декабря 1653 года Афанасий покинул Москву, намереваясь вернуться в Галац, в основанный им монастырь святого Николая. В начале следующего, 1654 года он, погостив в Чигирине у Хмельницкого, двинулся дальше. В феврале бывший патриарх занемог в пути и остановился в Мгарском Преображенском монастыре около города Лубны (на территории современной Полтавской области Украины), где и преставился 5 апреля 1654 года, в возрасте 74 лет. Он был погребен своими спутниками при помощи игумена монастыря Петрония по греческому обычаю — под амвоном монастырского храма, сидящим на троне.

Шесть лет спустя Афанасий явился во сне остановившемуся в Мгарской обители Газскому митрополиту Паисию Лигариду, после чего

1 февраля 1662 года состоялось обретение мощей святителя. Мощи были найдены нетленными, облачены в новые ризы и помещены в раку. После этого Афанасий стал являться во сне многим, благословляя, наставляя и исцеляя. Случаи исцеления были отмечены и у тех, кто прикоснулся к гробнице святителя. В 1672 году известие об обретении нетленных мощей Афанасия и о чудесах исцеления дошло до Москвы. Царь Алексей Михайлович, узнав об этом, приказал немедленно все проверить. В донесении подьячего М. Савина, побывавшего в монастыре и говорившего с его игуменом, описывались все события после смерти патриарха и четыре записанных чуда. Известно, что в XVIII веке в монастыре хранились рукописные житие святителя и канон в его честь, ему служились молебны. Пополнялись и записи о чудесах, вызванных молитвами, обращенными к святителю. В 1860-х годах было составлено новое житие Афанасия Цареградского с указанием всех совершившихся при мощах чудес. Уже в конце XIX века началось официальное почитание святителя Русской православной церковью. В 1930-х годах Мгарский Преображенский монастырь был закрыт советской властью, и мощи Афанасия перевезли в Харьков, где они и поныне покоятся в Благовещенском соборе.

Своим святым покровителем Афанасия Цареградского считают Харьков и Лубны.

Примерно так выглядит история жизни и деяний святителя Афанасия с точки зрения Русской православной церкви. Но все ли было именно так?

История Афанасия Цареградского — пример как раз того, как праведность и чудесные деяния приписывались все же реальному человеку, чей жизненный путь отмечен массой документальных свидетельств, а не только витиеватыми строчками агиографических текстов. Впрочем, житие Афанасия изображает его «мудрым в слове борцом и страдальцем за веру православную», что, в общем-то, не совсем правда. И искажений там, несмотря на обилие подробностей, тоже немало. Но обо всем по порядку.

Начну с даты рождения святителя. В ходе работы над книгой мне повстречались сразу три даты — 1560-й, 1580-й и 1597 годы. Первая, сразу скажу, выглядит довольно сомнительно в том плане, что если придерживаться ее, то получается, что Афанасий умер в возрасте 94 лет, причем во время дальнего странствия. Тем более маловероятно, что столь глубокий старец мог не только путешествовать, но и реально участвовать в реформе Никона. Наиболее поздняя дата так же сомнительна, но уже по другой причине — исходя из нее, Афанасий впервые стал бы патриархом в возрасте 37 лет, что даже более фантастично, чем странствия в почти столетнем возрасте по русским, скажем так, дорогам. Средняя дата, считая от которой, Афанасию было 54 года, когда он занял патриарший престол в первый раз, выглядит наиболее реалистично. Все же, учитывая, что до 1700 года на Руси действовало летосчисление от сотворения мира, в котором, как известно, все было хорошо, если бы не двести точек начала отсчета (к примеру, александрийская эра отставала от византийской на 17 лет), а в 1492 году начало года «переехало» с марта на сентябрь, создав дополнительную путаницу в переводе дат на летосчисление от Рождества Христова (особенно, если в первоисточниках стоял только год, без указания месяца и дня), не будем закапываться в этот не слишком существенный для нашей истории вопрос.

Впрочем, все три пребывания на константинопольском патриаршем престоле Афанасия III Пателлария — под таким именем он был избран — не отличались чрезмерной продолжительностью. Первое (февраль — март 1634 года) продлилось аж сорок дней — но это если считать от дня избрания, а не от интронизации (то есть официального вступления на патриарший престол). Второе (1635 год) и третье (лето 1652 года) были ничуть не длиннее — в последнем случае Афанасий считался полноправным патриархом ровно 15 дней от интронизации до добровольного отречения. Впрочем, тогда патриархи в Константинополе не засиживались — например, Кирилл Лукарис четырежды был смещен с патриаршего престола. Лукарис, кстати, поначалу был учителем и покровителем Афанасия, прежде чем стал конкурентом в борьбе за престол. В те времена кандидат на патриарший престол должен был устраивать и султана, и ряд европейских стран — католических и протестантских, чьи посольства «спонсировали» султана. Свое первое патриаршество Афанасий купил по большей части за деньги французского посольства. Увы, Лукарис сумел отвоевать престол через две недели — поддерживавшие его голландцы заплатили больше. Протестанты оказались щедрее католиков.

Любопытна, к слову, история взаимоотношений Афанасия и Лукариса. Ведь это именно Лукарис вытащил земляка из провинции, а не его слава проповедника, и он же способствовал его продвижению в митрополиты. Однако в 1629 году Лукарис выпустил книгу «Исповедание веры», которая мало того что была издана в Голландии, так и в целом ряде своих положений перекликалась с кальвинистским богословским мировоззрением. Это обеспечило ему поддержку протестантов (в том числе и финансовую), но породило сильную оппозицию среди константинопольских православных иерархов — и вот тут-то Афанасий переметнулся на сторону противников своего наставника и покровителя и даже вступил с ним в борьбу за престол. И освободил этот самый престол вовсе не из-за вдруг обуявших его угрызений совести — по требованию турков, которые довольно честно выполняли выгодные им правила игры.

В 1635 году после второго и столь же недолгого пребывания на патриаршей кафедре Афанасий действительно уехал не в любимый Афон, а в Италию. Вот только не католики соблазняли Пателлария кардинальской шапкой, как это нам пытается представить житие святого Афанасия.

В своем сочинении «Исторический список епископов, а потом патриархов Константинопольских» греческий богослов и борец за независимость Греции от турецкого владычества Константин Икономос (1780–1857) откровенно показал, что Афанасий вел жизнь, скажем так, пеструю и далеко не праведную. И денег ему хронически не хватало не только из-за притеснений османов. Власть он тоже любил. И ради нее готов был на многое. Как писал Икономос, вынужденно покинув патриарший престол во второй раз, «Пателларий написал просьбу папе об утверждении за собою по прибытии в Рим титула константинопольского патриарха». Просьба осталась без ответа. Тем не менее Афанасий добрался до Италии и прожил там больше года — в надежде стать кардиналом, а вовсе не отбиваясь от подобных предложений. Икономос писал, что «...мудрый в слове Пателларий оказался на деле тщеславным человеком, из честолюбия готовый попирать божественные каноны Церкви». Увы и ах, но католики сочли Афанасия «несостоятельным» для роли кардинала. Тогда этот «борец и страдалец за веру православную» отправился восвояси, тем более что турки сочли, что купленный Лукарисом за деньги голландских и прочих протестантов срок пребывания на престоле истек и тот снова освободился. Но то ли сменивший Лукариса Паисий больше заплатил, то ли просто больше устраивал султана, но снова сменить своего наставника Афанасию не удалось, и вообще, своего третьего патриаршества Пателларию пришлось ждать довольно долго. Официальные историографы церкви никогда не любили говорить об «итальянском периоде» в жизни Афанасия, замалчивая или переиначивая его. Впрочем, пожалуй, можно было простить Афанасия за его литературные труды на благо православия. Хотя стоило ли за них его канонизировать — еще тот вопрос. Но что именно стало причиной причисления Пателария к лику русских святых? Думаю, что не «Гимн Пресвятой Богородице» и уж точно не энкомий (хвалебная песнь), посвященный Василию Лупу, написанные им в монастыре в Галаце между вторым и третьим восшествиями на патриарший престол. Может быть, уже упоминавшийся здесь и тоже вышедший из-под его руки «Чин архиерейского совершения литургии на Востоке»? Тот самый, который лежит в основе «Чиновника архиерейского служения», используемого в Русской православной церкви и поныне? Увы, нет.

Все куда проще и нелепее.

Греческие монахи — свита странствующего патриарха Константинопольского, как он продолжал именоваться, хотя и был смещен — при всяческом содействии игумена Петрония и братии обители похоронили Афанасия Пателария по обряду своей церкви, то есть в сидячем положении. Тело его в полном облачении было помещено в кресло и так и опущено в каменную гробницу, сделанную под амвоном храма.

Именно это обстоятельство так поразило воображение местных иноков и паломников, что послужило основной и решающей причиной почитания Афанасия как святого и чудотворца, а также поименования его Афанасием Сидящим — после того, как в 1662 году Газский митрополит Паисий Лигарид, проезжая через Лубны, попросил показать ему гробницу бывшего патриарха. «А как де гробницу раскрыли, и из гробницы наполнилось благовония, и обрели святейшего патриарха тело цело, лишь де у правой руки, как держал посох, пальцев двух или трех не было». Так что, если кто-то полагает, что «нетленными» именуются совершенно не тронутые разложением тела, вынужден того разочаровать. Имеется в виду лишь мумификация тела (правда, без помощи всех тех процедур, которыми баловались египетские фараоны). Так было и с телом Афанасия — как уже сказано выше, пальцев на правой руке не хватало. Кресло сгнило полностью, одеяние — по большей части тоже, посох же уцелел (в отличие от державших его пальцев)...

Официальное почитание святителя Русской православной церковью началось в конце XIX века — после того, как Е.Е. Голубинский доказал, что почитание Афанасия Сидящего как святого началось в первой половине 1670-х годов с митрополита Киевского Иосифа. К слову, умершего в 1676 году и похороненного в том же Мгарском монастыре. Казалось бы, все просто. Однако митрополит Иосиф прославился тем, что пытался добиться независимости своей митрополии, долгое время избегая как подчинения Московскому патриархату, так и унии с католиками... и избрал для этого необычный и рискованный путь — признал давно забытое верховенство Константинопольского патриархата, по факту могущее означать подчинение турецкому султану. Впрочем, в итоге из этого ничего не вышло. Сегодня трудно сказать, насколько далеко зашел Иосиф в деле узаконивания почитания Лубенского чудотворца, однако, если и шла речь о причислении его к лику святых, видимо, за пределы митрополии это не распространилось, а со смертью митрополита — позволю себе такое предположение — и вовсе прекратилось. Так что почитание было исключительно народным и основанным на смутных преданиях в течение весьма долгого времени. Житие Афанасия Цареградского, написанное, видимо, при Иосифе и позднее упоминавшееся как хранимое в Мгарском монастыре, широкого распространения в списках не получило. Известно также о существовании представленного Священному Синоду в 1818 году ходатайства полтавского архиепископа Мефодия о канонизации Афанасия с внесением его в месяцесловы и публикацией жития и канона. Но это ходатайство было отклонено, а других подано не было. То есть канонизация с соблюдением всех необходимых формальностей как таковая не состоялась. Так кто и когда причислил его к лику святых?

Нет ответа. Впрочем, в Русской Церкви никогда не существовало некоего постоянного органа, занимающегося вопросами канонизации. Как говорил тот же Голубинский, составить полный и точный список русских святых абсолютно нереально. И хотя в начале XX века Русская православная церковь вплотную подошла к тому, чтобы озаботиться полномасштабным пересмотром житийного наследия, в том числе в плане его исторической достоверности (труды Ключевского, Голубинского и других показали величину проблемы), но 1917 год остановил этот процесс в самом его начале. И за прошедшее столетие практически ничего не изменилось.

Однако вернемся к Афанасию. По большому счету, не так уж и важно, когда именно началось почитание его как святого. Проблема, скорее, в другом. Насколько оправдано причисление Пателария к лику святых? Неужели необычная форма захоронения более важна, чем реальные заслуги перед Церковью? Увы, исследования Е.Е. Голубинского позволили ему сделать именно такой вывод — что именно то, как Афанасий был похоронен, а вовсе не его прижизненные деяния или даже посмертные чудотворения положили начало его почитанию. Обнаружив это, Голубинский не смог удержаться от критических слов в адрес почитателей этого, с позволения сказать, святителя. В своей «Истории канонизации святых в Русской церкви» он написал, имея в виду Афанасия Пателария: «Имея в виду то, что говорит об Афанасии греческая история, а отчасти и наша русская, должено быть признано, что он есть святой, ставший таковым не по суду человеческому... Бывает, что Господь творит не по суду и вопреки суду человеческому; но бывает и то, что Господь попускает людям творить неправое». Честно говоря, Голубинскому можно было посочувствовать — его собственные выводы оказались противоположны выводам церковных иерархов. Он всего лишь установил, когда началось почитание — они же сочли это основанием для перехода к почитанию официальному, в то время как сам ученый полагал, что, наоборот, следует отказаться от прославления «лубенского чудотворца», ибо канонизация его «противоречива и подозрительна». Однако голос его не был услышан. Имя Афанасия Пателария, которого его земляк К. Икономос, патриот Греции и друг России, называл не иначе как «бесславный» и «презренный», до сих пор присутствует в православном церковном календаре.

Николай Второй

Последний российский самодержец относится к числу и самых недавних святых Русской православной церкви, ее новомучеников — он канонизирован в лике страстотерпца 20 августа 2000 года вместе со всей своей семьей, погибшей вместе с ним — императрицей Александрой, цесаревичем Алексеем и дочерьми Ольгой, Татьяной, Марией и Анастасией.

Урожденный Николай Александрович Романов, старший сын императора Александра III, появился на свет 6 (18) мая 1868 года. Он получил весьма хорошее домашнее образование, был широко эрудированным человеком. У Александра III была программа всесторонней подготовки наследника к исполнению монарших обязанностей, но этим планам не суждено было осуществиться в полной мере...

Свою будущую супругу Николай впервые увидел в 1884 году, когда ее старшая сестра вступила в брак с великим князем Сергеем Александровичем, дядей цесаревича. Принцесса Алиса (будущая императрица Александра) родилась 7 июня 1872 года. Ее мать была третьей дочерью английской королевы Виктории и умерла от дифтерии, когда Алисе было 6 лет. Королева Виктория, потеряв дочь, забрала внуков к себе. Дальнейшее воспитание и образование Алисы проходило под контролем бабушки, для которой она была любимой внучкой.

Между молодыми людьми завязалась дружба, перешедшая затем в любовь. В 1889 году Николай обратился к родителям с просьбой разрешить ему жениться, но отец отказал, сославшись на молодость наследника. Николай отступил, но не сдался. В 1894 году, видя непоколебимую решимость сына, обычно мягкого и даже робкого в общении с отцом, Александр III дал ему свое благословение.

Радость любви была омрачена скоропостижной кончиной отца Николая.

Несмотря на траур по императору, бракосочетание откладывать не стали, но оно состоялось в самой скромной обстановке 14 ноября 1894 года. Николаю предстояло принять на себя тяжелое бремя управления огромной империей, к чему он не был готов в полной мере. Но он хорошо запомнил, что сказал ему отец перед смертью: «Я завещаю тебе любить все, что служит ко благу, чести и достоинству России. Охраняй самодержавие, памятуя притом, что ты несешь ответственность за судьбу твоих подданных перед Престолом Всевышнего. Вера в Бога и святость твоего царского долга да будет для тебя основой твоей жизни. Будь тверд и мужествен, не проявляй никогда слабости. Выслушивай всех, в этом нет ничего позорного, но слушайся самого себя и своей совести».

В 1896 году состоялась коронация. Став верховным правителем огромной империи, в руках которого практически сосредотачивалась вся полнота законодательной, исполнительной и судебной власти, Николай II взял на себя громадную ответственность за все происходящее во вверенном ему государстве. И одной из важнейших своих обязанностей почитал он хранение веры православной.

К великой скорби государя, торжества в Москве — и начало его царствования — были омрачены трагическим событием на Ходынском поле: в собравшейся ради царских подарков огромной толпе произошла давка, в которой погибло много людей.

Глубокая и искренняя религиозность выделяла императорскую чету среди представителей тогдашней аристократии. Духом православной веры было проникнуто с самого начала и воспитание их детей. Как и его предшественники, Николай II щедро жертвовал на нужды Церкви. За годы его царствования в России было построено более 10 тысяч приходских церквей, более 250 новых монастырей. Император сам участвовал в закладке новых храмов и других церковных торжествах. За время его царствования было канонизировано святых больше, чем за два предшествующих столетия. При этом ему пришлось проявить особую настойчивость, добиваясь канонизации преподобного Серафима Саровского, святителей Иоасафа Белгородского и Иоанна Тобольского. Николай II высоко чтил Иоанна Кронштадтского. После его кончины царь повелел совершать всенародное молитвенное поминовение почившего в день его преставления. При Николае II сохранялась синодальная система управления Церковью, однако именно при нем не только широко обсуждался, но и практически был подготовлен созыв поместного собора.

Стремление привносить в государственную жизнь христианские религиозно-нравственные принципы всегда отличало и внешнюю политику Николая II. Увы, в его царствование России пришлось участвовать в кровопролитных войнах, приведших к внутренним смутам. Следствием войны, начатой Японией в 1904 году, стала революционная смута 1905 года, которую император воспринимал как великую личную скорбь.

В семейной жизни у Николая все же было больше радостей. Александра подарила ему четырех прекрасных дочерей. Ольга, Татьяна, Мария и Анастасия были предметом гордости родителей. Лишь одно омрачало счастье императора — отсутствие наследника, которому бы он мог оставить великую державу. Паломничество всей царской семьи в Саров в 1903 году во время прославления преподобного Серафима Саровского принесло ему эту радость — через год родился царевич Алексей. Увы, очень скоро выяснилось, что цесаревич болен гемофилией. Счастье обоих родителей оказалось омрачено страхом за его судьбу. Зная о бессилии врачей, они могли полагаться лишь на Бога. Но молитвы не приносили исцеления — болезнь все время возвращалась новыми приступами. Императрица готова была поверить всякому, кто обещал хоть как-то облегчить страдания Алексея. В итоге во дворце появился Григорий Распутин, которому суждено было сыграть свою роль в жизни императорской семьи, да и в судьбе всей страны в целом. Увы, попытки здравомыслящих людей из императорского окружения ограничить его влияние успеха не имели...

В 1913 году вся Россия торжественно праздновала трехсотлетие дома Романовых, находясь в это время на вершине славы и могущества: население росло, невиданными темпами развивалась промышленность, все более могущественными становились армия и флот, успешно проводилась в жизнь аграрная реформа... Казалось, что все внутренние проблемы в недалеком будущем благополучно разрешатся.

Но этому не суждено было осуществиться: разразилась давно назревавшая война за передел мира. Использовав как предлог убийство террористом-сербом наследника австро-венгерского престола, Австрия напала на Сербию. Император Николай II посчитал своим христианским долгом вступиться за православных сербских братьев... Девятнадцатого июля (1 августа) 1914 года Германия как союзник Австрии объявила войну России... Кровавая мясорубка вскоре стала общеевропейской, захватывая в свою орбиту все новые страны. К осени стало ясно, что скорой победы не будет. Русская армия понесла ряд тяжелых поражений. Однако с начала войны на волне патриотизма в стране затихли многие внутренние разногласия.

Император регулярно выезжал в Ставку, посещал армейские части, перевязочные пункты, военные госпитали, тыловые заводы — все, что играло роль в ведении войны. Императрица с самого начала посвятила себя раненым. Вместе со старшими дочерьми Ольгой и Татьяной она по несколько часов в день ухаживала за ранеными в лазарете, устроенном в Царском Селе. Двадцать второго августа 1915 года Николай II объявил себя Верховным главнокомандующим. С этого дня он почти постоянно находился в Ставке. Январь и февраль 1917 года император провел в Царском Селе. Он чувствовал, что политическая обстановка становится все более и более сложной, но продолжал надеяться на то, что чувство патриотизма в народе окажется сильнее, сохранял веру в армию, рассчитывал на успех большого наступления, запланированного на начало весны.

Двадцать второго февраля Николай II снова выехал в Ставку — и в этот момент в столице вспыхнула паника, порожденная слухами о возможном голоде, которые были вызваны перебоями с подвозом хлеба. На следующий день в Петрограде начались волнения, которые очень скоро переросли в забастовку под политическими лозунгами — вплоть до «Долой самодержавие». Попытки разогнать манифестантов силами полиции не увенчались успехом. Хаос разрастался. Но лишь 25 февраля в Ставке было получено сообщение о беспорядках в столице. Узнав о беспорядках, Николай II послал войска в Петроград для поддержания спокойствия, а сам отправился в Царское Село, желая быть ближе к столице, да и просто тревожась за семью. Это решение оказалось роковым. Пути к Петрограду оказались перекрыты. Вынужденный изменть маршрут, 1 марта царь прибыл в Псков, в ставку командующего Северным фронтом. В столице тем временем наступило полное безвластие. Но Николай и командование армией это не знали. Император связался по телефону с председателем Государственной думы М.В. Родзянко, призывая Думу восстановить порядок в столице и стране. Родзянко отвечал ему, что уже поздно. Царь, как ему казалось, был поставлен перед выбором: отречение или попытка идти на Петроград с верными ему войсками — последнее означало гражданскую войну в то время, как внешний враг находился в российских пределах. Этого он не хотел. Окружение царя поддержало мысль об отречении, убеждая его в том, что это — единственный путь, способный спасти страну от хаоса. И после долгих и мучительных размышлений император решил отречься и за себя и за царевича Алексея, ввиду его неизлечимой болезни, в пользу брата Михаила, полагая своим долгом спасение державы — даже такой ценой.

Восьмого марта комиссары Временного правительства, прибыв в Могилев, куда Николай вернулся из Пскова, объявили об аресте царя.

Его прощальное обращение к войскам не было обнародовано, хотя призывало армию к верности этому правительству, тому самому, которое подвергло его аресту, к исполнению своего долга перед родиной до полной победы.

Так окончилось царствование Николая II и начался крестный путь восхождения к вершинам святости, путь на русскую Голгофу... Он, словно библейский праведник, перенес все ниспосланные ему испытания твердо, кротко и без тени ропота. Но, приняв, как ему казалось, единственно правильное решение, он переживал тяжелое душевное мучение, видя вокруг трусость, измену и обман.

Только 9 марта арестованного царя перевезли в Царское Село, где он наконец присоединился к своей семье. Следующие несколько месяцев прошли в тревожном ожидании. Внешне размеренная жизнь узников все чаще осложнялась мелочными стеснениями и все более несдержанной грубостью охраны. Отец Афанасий Беляев, регулярно совершавший в этот период богослужения в Александровском дворце, оставил свои свидетельства о духовной жизни царскосельских узников.

«Впечатление получилось такое: дай, Господи, чтобы и все дети нравственно были так высоки, как дети бывшего Царя. Такое незлобие, смирение, покорность родительской воле, преданность безусловная воле Божией, чистота в помышлениях и полное незнание земной грязи — страстной и греховной, — писал отец Афанасий, — меня привели в изумление, и я решительно недоумевал: нужно ли напоминать мне как духовнику о грехах, может быть, им неведомых, и как расположить к раскаянию в известных мне грехах».

Не сумев предъявить уже бывшему царю и его семье никаких обвинений, Временное правительство распорядилось отправить их в Тобольск — якобы ввиду возможных беспорядков, могущих им навредить. Больше всего в Тобольске Николая угнетало отсутствие полной картины происходящего в стране. Письма туда доходили с огромным опозданием. Из газет была доступна лишь одна местная, печатавшаяся на оберточной бумаге. Новости в ней всегда опаздывали на несколько дней и давались, как правило, урезанными и искаженными. Но этого было достаточно, чтобы Николай II понимал, что страна стремительно идет к гибели.

Генерал Корнилов предложил Керенскому ввести войска в Петроград, чтобы положить конец большевистской агитации, которая становилась изо дня в день все более угрожающей. Но тот отказался. Осознавая, что это, возможно, был последний шанс предотвратить катастрофу, император раскаивался в своем отречении.

«Императору мучительно было видеть теперь бесплодность своей жертвы и сознавать, что, имея в виду тогда лишь благо родины, он принес ей вред своим отречением», — вспоминал Пьер Жильяр, воспитатель цесаревича Алексея.

Тем временем были «низвергнуты низвергатели» — большевики, гораздо смелее конкурентов раздававшие народу невыполнимые обещания, с легкостью сбросили Временное правительство. Наступил период, о котором Николай II написал в своем дневнике: «гораздо хуже и позорнее событий Смутного времени». Известие об октябрьском перевороте дошло до Тобольска спустя неделю. Солдаты, охранявшие царскую семью, прониклись расположением к узникам, и перемена власти далеко не сразу сказалась на их положении. Однако и здесь начиналось то же, что они уже видели в Царском Селе — унижения, издевательства, всевозможные ограничения. Только все это выглядело еще хуже. В их письмах и дневниках засвидетельствовано глубокое переживание той трагедии, которая разворачивалась на их глазах. Но эта трагедия не лишала их силы духа, веры и надежды на помощь Божию, веры в спасение родины.

Но каждая следующая новость лишь ухудшала общую картину. Вскоре стало известно, что в Бресте большевики заключили мир с Германией. Николай II считал этот договор позором и политическим самоубийством новой власти, предательством по отношению к прежним союзникам.

Двадцать второго апреля царской семье сменили охрану. Спустя несколько дней царю объявили, что его должны перевезти в другое место. Царевич Алексей в это время был болен, и везти его было невозможно. Несмотря на страх за сына, Александра Федоровна поехала с мужем; с ними отправилась и дочь Мария. Николай II предполагал, что его хотят использовать для подписания мира с немцами на более выгодных для большевиков условиях. Однако увезли их не в Москву — 7 мая члены семьи, оставшиеся в Тобольске, получили известие, что император, императрица и Мария находятся в Екатеринбурге и заключены в дом Ипатьева. Когда здоровье Алексея поправилось, туда же были доставлены и остальные дети царя, при этом почти никого из прежде приближенных к семье, кроме доктора Боткина и четверых слуг, к ним не допустили.

Свидетельств последних месяцев царской семьи осталось гораздо меньше. Почти нет писем. В основном этот период известен лишь по кратким записям в дневнике Николая II и показаниям свидетелей по делу об убийстве царской семьи. Сохранилось немало портретов членов императорской фамилии — от портретов работы А.Н. Серова до поздних, сделанных уже в заточении, фотографий. По ним можно составить представление о внешности Николая Александровича, Александры Федоровны и их детей, но в описаниях многих лиц, видевших их при жизни, особое внимание обычно уделяется глазам. «Николай Александрович... произвел на меня впечатление своей твердой походкой, своим спокойствием и особенно своей манерой пристально и твердо смотреть в глаза...» — говорил об императоре протоиерей Иоанн Сторожев, совершавший последние богослужения в Ипатьевском доме. И он же писал о царевиче Алексее: «Он смотрел на меня такими живыми глазами...»

Условия жизни в «доме особого назначения» были гораздо тяжелее, чем в Тобольске. Новый начальник охраны комиссар Авдеев ежедневно изощрялся вместе со своими подчиненными, среди которых были бывшие уголовники, в измышлении новых унижений для заключенных. Вера заключенных поддерживала их мужество, давала им силу и терпение в страданиях, несмотря на полную изоляцию. Хотя все они, даже царевич, понимали возможность скорого конца. Грубые и черствые охранники были

поражены их простотой, их покорила полная
достоинства душевная ясность, и они вскоре
почувствовали превосходство тех, кого думали
держать в своей власти. Смягчился даже комиссар. Такая перемена не укрылась от тех, кто
стоял над Авдеевым. На его место был прислан
Юровский, место прежних охранников заняли
мадьяры и немцы из бывших военнопленных и
люди из ЧК.

В ночь с 16 на 17 июля Юровский и его люди,
выполняя постановление Уральского облсовета,
убили царскую семью и тех, кто находился рядом с ними. Ничего не подозревавших и без-
оружных людей расстреляли в упор, тех, кто не
умер сразу, безжалостно добивали штыками.
Убедившись, что их жертвы мертвы, убийцы
стали снимать с них не отобранные при жизни
драгоценности. Затем убитых вынесли на двор,
где уже стоял наготове грузовик с работающим
мотором, шум которого должен был заглушить
выстрелы. Еще до восхода солнца тела вывезли
в лес. Следующие три дня были потрачены на
то, чтобы спрятать следы злодеяния. Спрятали
их хорошо...

«Государь и Государыня верили, что умира-
ют мучениками за свою родину, — писал один
из свидетелей их жизни в заточении, воспитатель цесаревича Алексея Пьер Жильяр (впоследствии написавший книгу о своей жизни

рядом с царской семьей), — они умерли мучениками за человечество. Их истинное величие проистекало не из их царского сана, а от той удивительной нравственной высоты, до которой они постепенно поднялись. Они сделались идеальной силой. И в самом своем уничижении они были поразительным проявлением той удивительной ясности души, против которой бессильны всякое насилие и всякая ярость и которая торжествует в самой смерти».

Когда известие об убийстве Николая II достигло патриарха Тихона, он благословил пастырей совершать о царе панихиды. Сам он 8 (21) июля 1918 года во время богослужения в Казанском соборе в Москве сказал: «На днях свершилось ужасное дело: расстрелян бывший Государь Николай Александрович... Мы должны, повинуясь учению слова Божия, осудить это дело, иначе кровь расстрелянного падет и на нас, а не только на тех, кто совершил его. Мы знаем, что он, отрекшись от престола, делал это, имея в виду благо России и из любви к ней. Он мог бы после отречения найти себе безопасность и сравнительно спокойную жизнь за границей, но не сделал этого, желая страдать вместе с Россией...»

Так было положено начало почитанию царской семьи. Не только среди русской эмиграции, но и среди тех, кто не покинул родину.

Многие священнослужители и миряне втайне молились об упокоении убиенных страдальцев и во времена советской власти. Когда же она рухнула, фотография царской семьи на видном месте стала частым явлением во многих домах, как и иконы с изображением царственных мучеников. Страдание и духовный подвиг их получили воплощение в молитвословиях, в фильмах и книгах, музыкальных произведениях. В Синодальную Комиссию по канонизации святых поступали многочисленные обращения в поддержку канонизации семьи последнего русского царя — под некоторыми из них стояли тысячи подписей. Было собрано и большое количество свидетельств их благодатной помощи — об исцелениях больных, соединении разобщенных семей, защите церковного достояния от раскольников, о мироточении икон с изображениями императора Николая и царственных мучеников, о благоухании и появлении на иконных ликах пятен кровавого цвета, о других чудесах.

К царственным страстотерпцам многие христиане обращаются ныне с молитвой об укреплении семьи и воспитании детей в вере и благочестии, о сохранении их чистоты и целомудрия — ведь во время гонений императорская семья была особенно сплоченной, пронеся веру свою через все скорби и страдания.

Такова судьба последнего русского императора и его семьи с точки зрения Русской православной церкви — как судьба мученика.

Но так ли уж неизбежно было то, что случилось? Богом ли были посланы те испытания, что обрушились на него и на страну?

Николаю Романову выпала действительно нелегкая судьба. Старший сын Александра III, он пережил всех своих младших братьев (Александр умер в 11-месячном возрасте от менингита; родившийся через неделю после его смерти Георгий умер от туберкулеза в возрасте 28 лет; самый младший, Михаил, принявший корону после отречения Николая и сам отказавшийся от нее спустя всего 16 часов, был расстрелян большевиками в июне 1918 года в районе Перми — за месяц до трагедии в Екатеринбурге), но его сестры (они обе умерли в 1960 году, Ксения — в Лондоне, Ольга — в Торонто) и — что самое страшное — мать (Мария Федоровна скончалась в 1928 году в Дании) пережили его самого.

Канонизация Николая является и одним из самых спорных решений подобного рода, хотя в среде русской эмиграции уже в 1920-е годы регулярно проводились поминальные богослужения его памяти, а с конца 1940-х годов началось его почитание как святого. Более того, 1 ноября (19 октября по старому стилю) 1981 года Русская православная церковь за рубежом (в то время не поддерживавшая никаких контактов с Московским патриархатом) канонизировала последнего императора и его семью. Так что решение Архиерейского собора Русской православной церкви в 2000 году лишь завершило довольно длительный процесс.

Первым воспитателем Николая (и его брата Георгия) был англичанин Карл Хиз. Не знаю, как его деятельность сказалась на будущем царе и его отношении к британской монархии и англичанам вообще, но английским впоследствии Николай владел в совершенстве. В 1877 году Хиза сменил генерал Г.Г. Данилович. Следующие восемь лет будущий наследник престола изучал в порядке того самого домашнего образования существенно доработанный гимназический курс, включавший, среди прочего, политическую историю, русскую литературу и иностранные языки (уже упомянутый английский, а также французский и немецкий). Следующие пять лет можно приравнять к получению высшего образования — разработанная специально для цесаревича программа (призванная подготовить из него государственного деятеля) включала элементы учебных курсов экономического и юридического факультетов университета, совмещенные с курсом Академии

Генерального штаба. Впрочем, читавшие цесаревичу лекции физики, химики, экономисты, юристы, композиторы, генералы и богословы не имели права проверять степень усвоения материала. Так что можно лишь догадываться, насколько далеко заходила эрудиция Николая Александровича в этих сферах — помимо того, что он понимал, о чем ему говорят. Следующим этапом подготовки будущего самодержца стала военная служба. Николай отслужил два года младшим офицером в Преображенском полку, оба летних сезона провел эскадронным командиром в лейб-гвардии гусарском полку; прошел он и сборы в артиллерийских лагерях. Военная подготовка завершилась присвоением звания полковника в августе 1892 года (воспринимать всерьез звания адмирала и фельдмаршала, подаренные впоследствии английским королем, пожалуй, не стоит). С этого времени Николай участвовал в заседаниях Государственного Совета и Кабинета Министров (входя в курс дел в управлении страной и закрепляя полученные ранее знания). В том же году для приобретения опыта в государственных делах возглавил комитет по постройке Транссибирской железной дороги (по предложению министра путей сообщений С.Ю. Витте). Иначе говоря, наследник престола получил весьма обширные и разнообразные познания в самых разных областях.

Сопровождая отца в его поездках по России, он знакомился со страной, которой ему предстояло управлять. Финальным аккордом подготовки будущего императора стало кругосветное (по сути дела) путешествие, в ходе которого «сухим путем» или на крейсере «Путь Азова» наследник со свитой посетил Австро-Венгрию, Грецию, Египет, Индию, Китай и Японию (где на него было совершено покушение). Возвращение из Японии включало путешествие по России «посуху» от Владивостока до Петербурга, проходившее через всю Сибирь.

Один из лидеров левого крыла кадетской партии, депутат Государственной Думы первого созыва (1906), оппозиционный политик В.П. Обнинский в своем изданном незадолго до Первой мировой войны сочинении «Последний самодержец» (оказавшемся пророческим хотя бы в плане названия) утверждал, что Николай, осознав весь объем и сложность обязанностей монарха, «одно время упорно отказывался от престола», но был вынужден уступить требованию Александра III и «подписать при жизни отца манифест о своем вступлении на престол».

Возможно, что так оно и было — ведь никто не отрицает, что Николай отличался здравым и ясным умом и в состоянии был признать, что существенно уступает отцу как государь. Но судьба не оставила ему выбора. Георгий, который был младше его на три года, был слаб здоровьем, практически неизлечимый тогда туберкулез не оставлял ему шансов на долгую жизнь. Михаилу и вовсе в год смерти отца исполнилось шестнадцать, и он рассматривался разве что как «запасной игрок». И то если судьба не подарила бы Николаю сына.

Но я забегаю вперед.

Неизвестно, как бы сложилась судьба России и ее последнего императора, не угоди поезд Александра III в то злополучное крушение в 1888 году. То, что спасая своих попутчиков, император до прибытия спасателей держал на своих плечах обвалившуюся крышу вагона, изрядно подорвало его здоровье и сократило отпущенный ему срок — он не дожил до 50-летия всего несколько месяцев. Согласитесь, не запредельный возраст даже для того времени, особенно для человека, ведущего достаточно здоровый образ жизни и могущего рассчитывать на самую лучшую медицину своего времени — Александр III вполне мог прожить еще лет 15–20, а то и больше, если бы не болезнь. Попробуйте представить себе, как бы повернулась история России, если бы он дожил до того же 1913 года... Но этому не суждено было случиться. Возможно, еще и предчувствие скорой кончины вынудило императора дать согласие на брак Николая и Алисы Гессенской.

Увы, простодушие Николая в сочетании с его верой в свое высокое предназначение порой давало жутковатые результаты. Как еще воспринимать, простите, его поспешную свадьбу с Алисой — с момента похорон Александра III прошло всего лишь две недели. Молодому царю, похоже, было наплевать, что его жена входит в семью «за гробом» — а ведь это была очень дурная примета для русского человека. Не прошло и двух лет, как коронационные торжества повлекли за собой Ходынскую катастрофу. Об этой трагедии написано немало, поэтому я не буду уделять внимания ее жутким подробностям. Достаточно упомянуть, что в давке, случившейся ранним утром 18 мая 1896 года, погибло только по официальным данным почти 1400 человек, не говоря уже о примерно равном числе покалеченных. Возможно, избежать этого ужаса было выше сил императора. В конце концов, организацией народных гуляний Николай лично не занимался. Но я не на это хочу обратить внимание, а на то, как повел себя свежеиспеченный «хозяин земли Русской», когда ему и его дяде Сергею Александровичу (московскому губернатору — то есть безусловно ответственному за халатную организацию торжеств) доложили о случившемся.

Он ни на шаг не отступил от прежней программы торжеств. В 14 часов император прибыл на Ходынское поле. За несколько часов поле было очищено от всех следов утренней драмы. Ни стонущих раненых, ни мертвых тел, ни даже разбитых торговых палаток не осталось. Играл оркестр, императора встречало громовое «ура». Многие в окружении царя ожидали, что назначенные на вечер торжественный прием в Кремлевском дворце и бал у французского посла если и не будут отменены, то, по крайней мере, пройдут без участия императорской четы.

Однако Николай (поразив даже своего дядю) высказался в том ключе, что хотя случившееся на Ходынке — это величайшее несчастье, но это не должно омрачать праздника коронации. И появился и во дворце, и в посольстве. Более того, он танцевал с женой посланника, а императрица — с самим французским посланником.

На следующий день, впрочем, Николай с супругой и дядей-губернатором посетил Мариинскую больницу, где разместили раненых. Мария Федоровна, вдовствующая императрица, разослала по больницам тысячу бутылок вина для получивших наиболее тяжелые увечья — из того, что осталось в кремлевских погребах после продолжавшихся три недели балов и банкетов. Николай, вдохновленный примером матери, в порыве милосердия и чувства вины повелел выдать каждой осиротевшей семье по тысяче рублей — полагая, что погибло не больше сотни человек. Когда же выяснилось, что счет жертв идет на тысячи, император поостыл и негласно приказал уложиться в уже выделенную сумму в 90 тысяч рублей. «Счастливчикам» выдали от 50 до 100 рублей, многие и вовсе не получили ничего. Московская городская управа умудрилась «откусить» от царских щедрот 12 тысяч на погребение жертв, которых не могли похоронить родственники. И это притом что коронация обошлась казне в 100 миллионов рублей — на нужды народного просвещения в тот год во всей империи было потрачено втрое меньше. Царская семья не потратила ни копейки из своих собственных средств ни на торжества, ни на помощь жертвам. Сергей Александрович был «наказан» назначением еще и командующим войсками Московского военного округа. Обер-полицмейстер Власовский был отправлен в отставку с пожизненной пенсией в 3000 рублей (немалые по тем временам деньги), аналогичному «наказанию» подвергся его помощник.

Ранее, а именно 17 января 1895 года, выступая в Зимнем дворце перед депутациями дворянства, земств и городов, прибывших «для выражения их величествам верноподданнических чувств и принесения поздравления с бракосочетанием», Николай произнес речь, с одной стороны, благосклонно принятую консервативной частью общества, с другой — рассеявшую надежды либеральной интеллигенции на возможность конституционных преобразований сверху (и тем самым давшую толчок для новой волны революционной агитации).

Однако не все было плохо. Экономика России при Николае переживала устойчивый рост (расширялась добыча нефти в Баку и Грозном, добыча угля в Донбассе и Кузбассе, всего за десять лет протяженность железных дорог в России почти удвоилась), был установлен золотой стандарт рубля. В январе 1897 года прошла первая Всероссийская перепись населения. Благодаря Николаю состоялись Гаагские мирные конференции 1899 и 1907 годов, в ООН до сих пор стоит его бюст и хранится текст его Обращения к державам мира о созыве первой Гаагской конференции.

Экспансия России на Дальнем Востоке и особенно в Восточном Китае, на который претендовала Япония, привела к обострению отношений. Возможно, Николай действительно предвидел эту войну, однако Россия оказалась к ней не готова. После ряда сражений последовала цепь поражений и потерь — в декабре 1904 года генерал Стессель сдал Порт-Артур (и не был за это ни снят с должности, ни, тем более, лишен звания и наград), в марте 1905 года последовал разгром русских войск под Мукденом, в мае — Цусимское сражение на море, окончившееся гибелью 2-й Тихоокеанской эскадры (половина эскадры потоплена, часть захвачена, часть интернирована; до Владивостока дошли только 4 корабля; потери русского флота убитыми превысили 5 тысяч человек). Фактически это означало перелом в войне и поражение России.

Но вот что говорил К.Н. Рыдзевский о реакции царя на сдачу Порт-Артура:

«Новость, которая удручила всех, любящих свое отечество, царем была принята равнодушно, не видно на нем ни тени грусти...»

Ю.Н. Данилов (в то время полковник, начальник оперативного отделения Главного штаба) в своих воспоминаниях описывал реакцию царя на эту новость несколько иначе:

«...Николай II почти один хранил холодное, каменное спокойствие. Он по-прежнему интересовался общим количеством верст, сделанных им в разъездах по России, вспоминал эпизоды из разного рода охот, подмечал неловкость встречавших его лиц, и т. д. ...Свидетелем того же ледяного спокойствия Царя мне пришлось быть и позднее; в 1915-м году в трудный период отхода наших войск из Галичины; в следующем году, когда назревал окончательный разрыв Царя с общественными кругами, и в мартовские дни отречения во Пскове в 17-м году...»

Но это свидетели. А что же сам Николай? В его дневнике за 1904 год осталась такая запись:

«21-го декабря. Вторник. Получил ночью потрясающее известие от Стесселя о сдаче Порт-Артура японцам ввиду громадных потерь и болезненности среди гарнизона и полного израсходования снарядов! Тяжело и больно, хотя оно и предвиделось, но хотелось верить, что армия выручит крепость. Защитники все герои и сделали более того, что можно было предполагать. На то значит воля Божья!»

Итак, император все же не был равнодушен к таким печальным новостям. Но, увы, он принимал их как нечто неизбежное, неотвратимое... Как волю Божью... Но так ли это? Увы, нет. Порт-Артур вполне мог продержаться еще какое-то время. Могло ли это повлиять на дальнейшие события? Думаю, да.

Подписанный в Портсмуте мирный договор лишал Россию баз на Ляодунском полуострове, вынуждал ее признать Корею зоной японских интересов, а также присутствие японцев на Южном Сахалине. Япония, истощенная войной и сама находившаяся на грани катастрофы, благодаря уступчивости Николая не только ничего не потеряла, но приобрела. Впрочем, стравившие Россию с Японией европейские страны и США выиграли гораздо больше.

Для России же это поражение имело куда большие разрушительные последствия, чем мог себе представить император, подписывая мирный договор. Манифест, подписанный царем в начале войны, вызвал в обществе лишь разочарование и раздражение — одни полагали, что он даровал слишком мало свобод, другие — что слишком много. Поход питерских рабочих во главе со священником Георгием Гапоном к Зимнему дворцу с петицией к царю обернулся Кровавым воскресеньем — 9 января 1905 года солдаты открыли огонь по безоружной толпе, пытаясь не допустить ее к дворцу. Вопреки расхожему мнению царь не отдавал приказа открыть огонь — но он одобрил меры, предложенные министром внутренних дел П.Д. Святополк-Мирским. Однако рабочие, собиравшиеся «к царю» по призыву Гапона, двигались к дворцу с разных направлений, организованно, игнорируя при этом попытки полиции их остановить. Стремясь не допустить слияния колонн в единую толпу (по разным данным, за Гапоном в тот день пошло от 50 до 150 тысяч человек) на Дворцовой площади, войска открыли огонь. По официальным данным, было убито 130 и ранено 299 человек (в советское время назывались другие цифры — до 200 убитых и около 800 раненых), сам Гапон был ранен и скрылся за границей (по возвращении в 1906 году был убит эсерами, считавшими его полицейским провокатором). Однако само Кровавое воскресенье и воззвание, сочиненное Гапоном, положили начало революционным событиям. В феврале взрывом бомбы был убит великий князь Сергей Александрович. По всей стране проходили стачки, на окраинах империи происходили волнения, подпитываемые из-за рубежа. Произошло несколько восстаний в ряде городов и на кораблях военного флота. Эсеры и анархисты развернули «индивидуальный террор», убивая офицеров, полицейских, чиновников и иных представителей власти. Поражение в войне при такой ситуации внутри империи только усугубляло ситуацию.

В августе 1905 года царь, пытаясь ослабить напряжение в стране, подписал манифест о созыве Государственной Думы и ряд сопутствующих документов. Но этого оказалось недостаточно — в начале октября вспыхнула всероссийская стачка, в которой приняло участие около 2 миллионов человек. В этой ситуации Николай, всего десять лет назад заявлявший о своей верности принципам самодержавия, 17 октября подписал манифест, который с точки зрения либеральной общественности знаменовал конец русского самодержавия как такового. Ибо первый пункт манифеста повелевал «даровать населению незыблемые основы гражданской свободы на началах действительной неприкосновенности личности, свободы совести, слова, собраний и союзов», а третий устанавливал обязательность утверждения любого закона Думой и надзор за правомерностью деятельности властей со стороны ее депутатов. Уже сам факт существования такого манифеста многое менял в жизни империи (даже если он фактически не работал). В ноябре была объявлена амнистия политзаключенным (кроме террористов) и отменена общая и духовная цензура для периодических изданий.

Желаемая цель, казалось, была достигнута — после обнародования манифестов волна стачек пошла на убыль, армейские части сохранили верность присяге, возникла даже массовая и крайне правая монархическая организация «Союз русского народа» (которую император негласно поддерживал). И даже вспыхнувшее в декабре в Москве вооруженное восстание не было поддержано в других уголках страны и было подавлено.

Апрель 1906 года был ознаменован принятием «Основных государственных законов Российской империи», прописывавших роль Думы в законодательном процессе, и полной отменой всякой цензуры. И хотя эсеровско-анархистский террор против чиновников, офицеров и полицейских продолжал нарастать, сама революция явно пошла на убыль.

Увы и ах, но результат созыва первой Думы превзошел самые худшие ожидания Николая и сторонников самодержавия без примесей парламентаризма — уже отвечая на тронную речь императора, депутаты от левых партий потребовали упразднения Государственного Совета и передачи крестьянам церковных и казенных земель, а позже появился «проект 104-х», сводивший назревавшую земельную реформу к национализации всех земельных угодий. Дума первого созыва просуществовала чуть больше двух месяцев, после чего Николай II распустил ее, мотивировав свое решение попытками депутатов, выражаясь современным языком, выйти за пределы своей компетенции.

Вторая Дума, продержавшаяся чуть дольше, оказалась еще более левой — в нее пришли большевики и эсеры, первую Думу бойкотировавшие. Собственно, благодаря им эта Дума и была распущена — когда премьер П.А. Столыпин потребовал снять депутатскую неприкосновенность с 16 депутатов-большевиков, замешанных в «антигосударственной деятельности» (ну, они и в самом деле были задержаны на конспиративной квартире, где нашлось оружие, пропагандистская литература и листовки с призывами к свержению самодержавия), Дума это требование не поддержала из «депутатской солидарности». Раздосадованный Николай с легкостью подписал манифест о ее роспуске — по свидетельству генерала А.А. Масолова (впоследствии одного из лидеров белой эмиграции), он воспринимал думцев не как представителей народа, а как «просто интеллигентов». То, что опубликованное вместе с манифестом новое «Положение о выборах в Думу» противоречило самим своим появлением манифесту от 17 октября 1905 года (точнее, пункту об утверждении Думой всех новых законов), Николая не волновало (он в том же 1905 году с такой же легкостью отказался от подписанного с германским кайзером соглашения, едва вернулся в Петербург). От Думы третьего созыва удалось наконец добиться более-менее конструктивного взаимодействия с правительством, и она смогла проработать не пару месяцев, а почти пять лет.

Дополнительным стимулом для угасания революционных настроений стала столыпинская аграрная реформа, которая, увы, не успела реализовать весь свой потенциал. Николай также дал добро на проведение военной реформы — уж больно наглядно поражение в войне с Японией показало уровень боеспособности русской армии. Эти два направления достаточно широко освещены в исторической и научной литературе, кроме того, роль царя в них была минимальна. Как говорится, не мешал — уже хорошо. Плохо, что не мог придать ускорение в нужном направлении.

Апрель 1912 года лег на имя царя еще одним кровавым пятном — «Ленским расстрелом», где при попытке разогнать бастующих уже месяц рабочих-золотодобытчиков командовавший солдатами жандармский ротмистр Трещенков приказал открыть огонь. По разным данным, погибло от 107 до 270 человек, ранения получили от 150 до 250 рабочих (известно, что газета «Звезда», издававшаяся социал-демократами, спустя четыре дня опубликовала поименные списки 170 погибших и 196 раненых). Забастовка при этом продолжалась еще более трех месяцев, после чего 80% рабочих покинули прииски. Дело, получившее громкую огласку, расследовали две комиссии — правительственная и общественная (во главе с никому тогда не известным А.Ф. Керенским). В итоге ротмистр был разжалован в рядовые, переведен в «пешее ополчение Санкт-Петербургской губернии» (с началом войны он добился «высочайшего соизволения» на отправку на фронт и погиб в мае 1915 года, получив в лоб австрийскую пулю). Иркутский губернатор Ф.А. Бантыш, неосторожно заявивший, что выступление рабочих было вызвано действиями администрации «Лензолота», очень быстро оказался губернатором в Якутске. Во время слушаний в Думе о событиях на Ленских приисках министр внутренних дел Макаров заявил, что «так было, так будет!», сорвав аплодисменты депутатов от правых партий. А что же царь? Царь отмолчался...

А что же я не упоминаю другую сторону медали? Семейную жизнь царя? А потому лишь, что семьянин из Николая действительно вышел примерный — лучшего отца и мужа не стоит желать. Но государственный деятель, более того — император... увы.

Интересно, вступился бы Николай за братьев-сербов, если бы знал (или хотя бы догадывался), чем это обернется для России и для него лично? Придавал бы такое значение обязательствам в рамках Антанты? Но он не знал, а война становилась все более неизбежной. И она началась. Появление «общего врага» способствовало сплочению общества, ослаблению оппозиционных настроений. Но экономика России не была готова работать в военных условиях. Не была завершена и военная реформа, армии не хватало оружия и боеприпасов. «Штык-молодец» проиграл «пуле-дуре» по всем статьям — особенно с появлением пулеметов. Успехи первых месяцев быстро сменились затяжной полосой неудач и поражений, сданными без боя крепостями... В этой ситуации Николаю II не оставалось ничего другого, как освободить великого князя Николая Николаевича от обязанностей Верховного главнокомандующего и принять эти обязанности на себя. Похоже, более подходящей кандидатуры царь не видел. В окопах смена Главковерха энтузиазма не вызвала, зато у германцев уход с этого поста великого князя вызвал вздох облегчения — они успели разглядеть в нем талантливого стратега, которому лишь неизбывный русский бардак помешал развить успехи начала войны. Тем не менее начатое вскоре контрнаступление оказалось успешным, германские войска вынуждены были остановиться и местами даже отступить. Война перешла в позиционную фазу. Пользуясь передышкой, экономика спешно переходила на военные рельсы, в тылу формировались и обучались новые части. На весну 1917 года готовилось большое наступление, призванное отбросить германцев.

Но Николай одновременно принялся тасовать правительство — за 1916 год сменил четверых премьеров, четырех министров внутренних дел, трех министров иностранных дел, двух военных министров, трех министров юстиции, параллельно сменив 17 членов Государственного Совета.

В январе 1917 года прошла Петроградская конференция, как именовали в прессе встречу высокопоставленных представителей союзников. Иностранные делегаты, среди прочего (поездки в Москву, посещения позиций русских войск) активно общались с политиками самых разных убеждений и взглядов. Глава британской делегации писал впоследствии, что мысль о неизбежности революции — либо снизу (народное восстание), либо сверху (дворцовый переворот) — в речах его собеседников доминировала. А что же Николай Александрович? Неужели царь по-прежнему ничего не видел? Или не хотел видеть?

А потом стало поздно.

Ситуация в Петрограде стремительно вышла из-под контроля. Дальнейшее всем интересующимся известно, хоть и во множестве версий. От императора в итоге начали требовать отречения — и восставшие, и Дума, и военные (из командующих фронтами и флотами лишь адмирал Колчак не присоединился к общему давлению на царя — он не прислал никакой телеграммы). И Николай отрекся. В пользу брата Михаила, а не сына — ибо, по его же словам (воспроизведенным издававшейся П.П. Рябушинским газетой «Утро России»), он намеревался уехать из страны после отречения и не хотел оставлять Алексея одного). Вот так. А как же намерение разделить страдания родины? В той ситуации отъезд за границу был бы для царской семьи лучшим выходом. Увы, воспользоваться им последний самодержец не успел. Михаил же, не получив от сообщивших ему об отречении брата представителей Думы никаких гарантий личной безопасности, предпочел отказаться от короны — которая уже не несла ничего, кроме лишних неприятностей. Николай, узнав об отказе Михаила, подписал новый манифест — об отречении все-таки в пользу Алексея, и передал его генералу Алексееву, который не отправил его, «дабы не вносить лишнюю смуту», мол, все равно уже отрекся.

С этого момента от царя уже практически ничего не зависело. Его «смирение с волей Божьей» привело к гибели и его самого, и его семью, и тысячи, если не миллионы других людей, и в каком-то смысле страну. У Николая было по меньшей мере несколько месяцев, чтобы спасти хотя бы свою семью, если не корону и прежнюю жизнь. Он почти полгода (!) — с марта по июль — сидел в Царском Селе, терпеливо снося издевательства охраны, молясь, читая, разговаривая, гуляя по парку... А ведь охраняли их еще не чекисты — простые солдаты, еще можно было связаться с людьми, оставшимися «по ту сторону» и сохранившими верность присяге и императору. Даже в Тобольске это еще было возможно — вплоть до того момента, пока власть не перешла к большевикам и охранявших царскую семью простых мужиков в солдатских шинелях, мечтавших вернуться к своим женам и детям, к своей земле, не заменили на «идейных».

Неизвестно, как долго большевики продолжали бы сохранять жизнь семье императора, но свою роковую роль сыграло приближение к Екатеринбургу фронта. Вожди большевиков прекрасно понимали, что может произойти, если Николай или даже хоть кто-то из членов его семьи окажется «по ту сторону»...

Последнему самодержцу можно сочувствовать, стоит его помнить, но почитать как святого? Чем он это заслужил?

Доктор Боткин, до последнего дня остававшийся с царской семьей, по моему скромному мнению, в куда большей степени достоин почитания — он всю свою жизнь спасал жизни других людей, он оставил свою семью и последовал за государем, очень ясно осознавая, что никогда не увидит своих детей. Противники его канонизации говорят, что он всего лишь исполнял свой долг. Но он исполнил его. А сделал ли это последний царь?

Тихон, Патриарх Московский

В русской истории вряд ли найдется даже среди прославленных святителей человек, который был бы призван к кормилу церковной жизни в столь трудный и трагический период, как тот, что выпал на долю патриарха Тихона.

Будущий патриарх в миру носил имя Василий Иванович Белавин. Он родился 19 января (1 февраля) 1865 года в селе Клин близ города Торопца Псковской губернии. Любовь к Церкви, сердечная чистота, целомудрие, удивительная врожденная простота, постоянная доброжелательность ко всем, особенный дар рассудительности, положительности — благодаря этому в Санкт-Петербургской духовной академии Василий Белавин стал любимцем товарищей-студентов, которые шутя называли его Патриархом. В те времена не могло и в голову прийти, что шутливое прозвище окажется пророческим, потому что патриаршества в России не существовало давно и возрождения его никто не ожидал.

После окончания академии в 1888 году он вернулся преподавателем в Псковскую духовную семинарию, где учился до этого. В 1891 году принял постриг с именем Тихона — в честь любимого им святителя Тихона Задонского. Вскоре он стал иеромонахом. С октября 1897 года он — епископ Люблинский, викарий Варшавской епархии. Тихон был весьма популярен среди семинаристов, священников, простых прихожан. Но не прошло и года, как молодого епископа отправили в Америку. Там его ждала огромная епархия, в которую входили Северо-Американские Соединенные Штаты, Канада и Аляска. Тихон фактически стал главой Православной церкви в Северной Америке. Он очень деятельно взялся за благоустройство своей епархии, принял целый ряд мер для того, чтобы развивалась православная жизнь. Он открывал храмы и духовные училища, старался развивать миссионерскую работу. Благодаря Тихону в православие перешли многие из униатов, оказавшихся в Америке, отмечены были случаи перехода в православие из англиканской веры. Удивительные по размаху и христианскому духу плоды его архипастырских трудов сделали святителя Тихона одним из самых почитаемых святых православной Америки.

В 1907 году Тихон, уже архиепископ, был переведен в одну из крупнейших и древнейших епархий России — на Ярославскую кафедру. Здесь он также очень быстро нашел контакт со своей паствой. Этот период примечателен тем, что жители Ярославля избрали его почетным гражданином города — случай первый и едва ли не единственный в русской истории.

Вскоре после его назначения в Виленскую епархию началась война, и его служение осложнилось многими новыми заботами. Ему пришлось думать о беженцах, эвакуировать в Москву мощи виленских мучеников, у него же сохранялась и чудотворная Жировицкая икона Божией Матери, впоследствии им возвращенная в Жировицкий монастырь. Февральская революция 1917 года застала его в Москве. Епархиальный съезд московского духовенства и мирян в июне избрал архиепископа Виленского Тихона архиепископом Московским и Коломенским, в августе же Священный Синод избрал его митрополитом Московским, и на него сразу же было возложено бремя подготовки Поместного собора русской церкви, который не собирался более двухсот лет.

Собор открылся в день Успения Божьей Матери — 15(28) августа 1917 года. Везде ощущались тревожные приметы будущих перемен. И Собор после многих заседаний и горячих дискуссий поддержал идею возродить патриаршество. Предварительное голосование определило трех кандидатов, и лишь третьим из них стал Тихон. Но именно он был избран патриархом. В праздник Введения во Храм Пресвятой Богородицы — 21 ноября (4 декабря) — в Успенском Соборе Московского Кремля была совершена интронизация Патриарха Тихона.

С самого начала отношения государственной власти и предстоятеля Русской православной церкви приобрели характер острого конфликта, так как уже первые декреты и постановления советской власти коренным образом ломали и традиционный уклад церковной жизни. Начались репрессии против церкви — убийства священников, разграбление церковного имущества. После вооруженного захвата Александро-Невской и Почаевской лавры патриарх Тихон выпустил послание от 19 января (1 февраля) 1918 года, известное, как «анафематствование Советской власти». Патриарх, исполняя свой долг пастыря, разъяснял людям смысл происходящего в стране с точки зрения Церкви, предостерегал от участия в грехах и преступлениях, в которые втягивали их большевики. В послании патриарх выступил против разрушения храмов, захвата церковного имущества, гонения и насилия над Церковью:

«Опомнитесь, безумцы, прекратите ваши кровавые расправы. Ведь то, что творите вы, не только жестокое дело, это поистине дело сатанинское, за которое подлежите вы огню геенскому в жизни будущей — загробной и страшному проклятию потомства в жизни настоящей земной...

Властью, данною Нам от Бога, запрещаем вам приступать к Тайнам Христовым, анафе-

матствуем вас, если только вы носите еще имена христианские и хотя бы по рождению своему принадлежите к Церкви Православной...

Заклинаем и всех вас, верных чад Православной Церкви Христовой, не вступать с таковыми извергами рода человеческого в какое-ли-
бо общение: «Изымите злого от вас самих» (1-е
послание к коринфянам, 5:13).

...Гонение воздвигли на истину Христову явные и тайные враги сей истины и стремятся к
тому, чтобы погубить дело Христово, и вместо
любви христианской всюду сеют семена злобы,
ненависти и братоубийственной брани. Забы-
ты и попраны заповеди Христовы о любви к
ближним: ежедневно доходят до Нас известия
об ужасных и зверских избиениях ни в чем не
повинных и даже на одре болезни лежащих людей, виновных только разве в том, что честно
исполнили свой долг перед Родиной, что все
силы свои полагали на служение благу народ-
ному. И все это совершается не только под по-
кровом ночной темноты, но и въявь, при днев-
ном свете, с неслыханной доселе дерзостью и
беспощадной жестокостью, без всякого суда и с
попранием всякого права и законности совершается в наши дни во всех почти городах и ве-
сях нашей отчизны: и в столицах, и на отдален-
ных окраинах...

Все сие преисполняет сердце Наше глубокою болезненной скорбью и вынуждает Нас обратиться к таковым извергам рода человеческого с грозным словом обличения и прещения по завету св. апостола: «Согрешающих же пред всеми обличай, да и прочии страх имут» (1-е послание к Тимофею, 5:20).

Хотя в послании речь шла лишь об отдельных «безумцах» и советская власть прямо не называлась, всеми — и большевиками в том числе — послание было воспринято как анафема советской власти.

Когда патриарха Тихона достигло известие об убийстве Николая II, он 8 (21) июля 1918 года во время богослужения в Казанском соборе в Москве сказал: «...Мы должны, повинуясь учению слова Божия, осудить это дело, иначе кровь расстрелянного падет и на нас, а не только на тех, кто совершил его...»

В первую годовщину октябрьского переворота патриарх Тихон обратился к Совету народных комиссаров со словом «обличения и увещания». Указывая на нарушение всех обещаний, данных народу до прихода к власти, патриарх снова осудил кровавые репрессии. Тихон отвергал обвинение в противлении власти и добавлял: «Не наше дело судить о земной власти; всякая власть от Бога допущенная привлекла бы наше благословение», если ее деятельность была бы направлена на благо подчиненных.

Заканчивалось обращение поистине пророческим предупреждением не употреблять власть на преследование ближних. Патриарх призывал «верных чад Церкви» не к вооруженной борьбе, а к покаянию и духовному, молитвенному подвигу: «противостаньте им силою веры вашей, вашего властного всенародного вопля, который остановит безумцев и покажет им, что не имеют они права называть себя поборниками народного блага». Несмотря на подчеркивание патриархом аполитичности Церкви, большевики обвинили его в пособничестве белому движению и в контрреволюционности. В ответном письме в Совнарком патриарх заявил, что он никаких воззваний «о свержении советской власти» не подписывал и никаких действий для этого не предпринимал и предпринимать не собирается. «Что многим мероприятиям народных правителей я не сочувствую и не могу сочувствовать, как служитель Христовых начал, этого я не скрываю и о сем открыто писал в обращении к народным комиссарам перед празднованием годовщины Октябрьской революции, но тогда же и столь же откровенно я заявил, что не наше дело судить о земной власти, Богом допущенной, а тем более предпринимать действия, направленные к ее низвержению. Наш долг лишь указать на отступления людские от великих Христовых заветов, любви, свободы и братства, изобличать действия, основанные на насилии и ненависти, и звать всех ко Христу».

Продолжая свою богоборческую линию, в августе 1919 года большевики занялись вскрытием мощей, а год спустя заговорили о ликвидации мощей во всероссийском масштабе. Патриарх Тихон не мог оставить без ответа это глумление и написал воззвание, требуя прекратить кощунства. Сам он с 24 декабря 1919 года и до сентября 1921 года снова находился под домашним арестом. Последующие события были еще более зловещими.

Одна тысяча девятьсот двадцать первый год принес страшный голод в Поволжье. Летом 1921 года патриарх Тихон опубликовал послание, которое называлось «Воззвание Патриарха Московского и всея Руси Тихона о помощи голодающим». За ним последовали обращения патриарха к папе римскому, к архиепископу Кентерберийскому, к американскому епископу с просьбой об оказании помощи голодающим Поволжья. И эта помощь пришла. Была организована ассоциация под названием ARA (American Relife Association), которая вместе с другими международными организациями спасла очень много людей. И несомненно, что голос патриарха Тихона в этом деле сыграл огромную роль, потому что именно к нему было больше всего доверия за границей.

В храмах России начались сборы пожертвований. Не ограничившись воззванием, патриарх предложил властям широкую программу помощи голодающим, в том числе создание Церковного комитета в составе духовенства и мирян для организации помощи. Девятнадцатого февраля 1922 года Тихон предложил собрать необходимые для голодающих средства «в объеме вещей, не имеющих богослужебного употребления».

Но уже 23 февраля был опубликован декрет об изъятии церковных ценностей, принятый ВЦИК по инициативе Л.Д. Троцкого. Целью большевиков в данном случае было ограбить Церковь, а вовсе не помочь голодающим — в ответ на призывы патриарха и других общественных деятелей из-за рубежа уже поступило продовольствие в достаточном количестве, в привлечении церковных средств необходимости не было. Поэтому Церковь была отстранена от контроля над сбором ценностей и их дальнейшей судьбы.

Попытки Тихона предотвратить неизбежный конфликт были интерпретированы как стремление «черносотенного духовенства» защитить церковное добро.

В конце марта большевикам надоело «просить отдать по-хорошему». Массовое народное сопротивление повсюду было беспощадно подавлено. Суды над «церковниками», расстрелы прокатились по всей России. Но и в начале мая кампания по изъятию церковных ценностей не была завершена. Собранные драгоценности составили лишь незначительную часть той суммы, на которую рассчитывали Ленин и Троцкий, — менее 5 миллионов золотых рублей (которые в основном были потрачены на проведение самой кампании по изъятию). Но подлинный ущерб не исчислялся деньгами. Погибли святыни православия, национальные сокровища России.

Жесткую линию в отношении духовенства, санкционированную Политбюро ЦК РКП(б), воплощало в жизнь VI отделение секретного отдела ГПУ во главе с Е.А. Тучковым. Патриарха несколько раз вызывали на допросы, надеясь склонить его к осуждению антисоветских действий духовенства. Однако этого не случилось.

Тем временем ГПУ подготовило «обновленческий» раскол. Двенадцатого мая к Тихону, уже неделю находившемуся под домашним арестом, явились три священника — лидеры так называемой «Инициативной группы прогрессивного духовенства». Обвинив патриарха в том, что его деятельность во главе Церкви стала причиной вынесения смертных приговоров, визитеры потребовали от Тихона оставить патриарший престол. Не добившись от него согласия, члены «Инициативной группы» 18 мая объявили о создании в их лице нового Высшего церковного управления (ВЦУ) русской Церкви. На следующий день патриарх был заточен в Донской монастырь. Теперь он находился под строжайшей охраной, ему запрещалось совершать богослужение.

Вместе с делом патриарха в ГПУ находились дела всех членов Священного Синода, под арестом содержалось около 10 человек. «Обновленческий» раскол развивался по плану и быстро втянул все нестойкие элементы, которые были в Церкви. В короткое время по всей России всем архиереям и даже всем священникам поступили требования от местных властей, от ЧК, чтобы они подчинились ВЦУ. Неподчинение расценивалось как сотрудничество с контрреволюцией. Во всех газетах того времени ежедневно печатались разгромные статьи, обличавшие патриарха Тихона в «контрреволюционной деятельности», а «тихоновцев» во всяких преступлениях. В 1923 году был устроен обновленческий «Собор», который объявил о том, что «единогласно принято решение о снятии с патриарха Тихона сана и даже монашества. Отныне он просто мирянин Василий Иванович Белавин». Советские газеты отныне и до самой смерти именуют Тихона только «бывшим патриархом».

Вскоре деятели пресловутого ВЦУ перессорились между собой, все больше внушая отвращение простым верующим. Патриарху Тихону было предложено освобождение из-под ареста при условии публичного «покаяния» («покаявшийся» патриарх был для власти гораздо ценнее), и он решил пожертвовать своим авторитетом ради облегчения положения Церкви.

Шестнадцатого июня 1923 года патриарх Тихон подписал известное «покаянное» заявление в Верховный Суд РСФСР, запомнившееся словами: «...я отныне советской власти не враг». Расстрел патриарха не состоялся, но «покаянное» заявление патриарха поставило под сомнение его стойкость в глазах ревнителей чистоты церковной позиции. С тех пор перед епископами будет постоянно стоять вопрос, что лучше: сохранить неповрежденным свое свидетельство об Истине перед лицом пыток и смерти или путем компромисса постараться получить свободу и на свободе еще послужить Церкви.

Двадцать седьмого июня патриарха перевели из внутренней тюрьмы ГПУ обратно в Донской монастырь. Тринадцатого марта 1924 года следственное дело по обвинению патриарха Тихона было прекращено постановлением Политбюро ЦК РКП(б). Закончилось, так и не дойдя до суда, одно из самых громких судебных дел того страшного времени.

Любовь и уважение верующих к патриарху Тихону не только не поколебались в связи с его «покаянным» заявлением, но лишь возросли. Именно в последние два года жизни патриарх Тихон совершил особенно много архиерейских хиротоний. Зачисленные или добровольно ушедшие в обновленцы священники и целые приходы возвращались к нему.

Последний период жизни патриарха Тихона поистине был восхождением на Голгофу. Постоянные провокации ЧК, злоба и клевета обновленцев, непрерывные аресты и ссылки архиереев и духовенства...

Но жизнь и самого патриарха все время была под угрозой. Девятого декабря 1924 года в квартиру проникли двое неизвестных, выстрелами в упор убили Якова Полозова, келейника патриарха, и скрылись. Патриарх очень тяжело переживал эту смерть. Он понимал, что пули предназначались ему — обычно в эти часы он бывал дома один.

Страшное напряжение, постоянная борьба подточили здоровье Тихона. 7 апреля, незадолго до полуночи, патриарх скончался.

На похороны его съехались почти все епископы. В завещании патриарха назывались три местоблюстителя патриаршего престола. На-званные первыми митрополит Казанский Ки-рилл (Смирнов) и старейший иерарх Русской Церкви митрополит Ярославский Агафангел (Преображенский) находились в это время в ссылке и не могли воспринять местоблюсти-тельство. Третьим был назван митрополит Кру-тицкий Петр (Полянский). Решением всего на-личного собрания архиереев, по существу пред-ставлявшего собой Собор Русской православной церкви, он воспринял звание местоблюстителя патриаршего престола.

Прощание с патриархом было открытое. Толпы людей шли прощаться с ним день и ночь — по подсчетам мимо гроба прошло око-ло миллиона человек. Конечно, никакая мили-ция не могла бы справиться с такой толпой, но всеми был соблюден полный благоговейный порядок, не было никаких скандалов, никакого шума. Так закончилась жизнь патриарха.

Первого ноября 1981 года патриарх Тихон был прославлен в лике новомучеников и ис-поведников Российских Архиерейским Сино-дом Русской православной церкви за рубежом. 9 октября 1989 года его канонизировал и Архи-ерейский Собор Русской православной церкви. Патриарх стоит во главе Собора новомучеников и исповедников Российских. Канонизация Святейшего Патриарха Тихона была первым шагом к прославлению новомучеников и новых исповедников Российских, пострадавших в годы революционной смуты и большевистского террора.

Теперь же посмотрим на личность первого за два столетия патриарха немного с другой стороны.

Не буду подвергать сомнению слова о его любви к Церкви с самого раннего детства — трудно ожидать другого от сына приходского священника, с отличием окончившего три подряд духовных учебных заведения. Однако, хотя сокурсники по Петербургской духовной академии и дразнили его «патриархом», предвидеть такого поворота его судьбы никто из них не мог не только потому, что патриаршества в тот момент не существовало. Его однокурсник, впоследствии православный миссионер в Южной Америке, протопресвитер Константин Изразцов, вспоминал о нем: «Во все время академического курса он был светским и ничем особенным не проявлял своих монашеских наклонностей. Его монашество после окончания академии поэтому для многих его товарищей явилось полной неожиданностью». То есть никак не проявлялось в Василии Белавине его будущее предназначение. Вышеупомянутые любовь к Церкви, смиренность, благочестивость? Но как же без этого можно было учиться в семинарии и духовной академии? Полагаю, однокурсник будущего патриарха имел в виду именно то, что Белавин нисколько не выделялся своей религиозностью на общем фоне. А вовсе не то, что он никак ее не проявлял. После академии Василий (которому на тот момент исполнилось 23 года) в июне 1888 года вернулся в Псковскую духовную семинарию (которую закончил до академии) — преподавать догматическое богословие. Трудно сказать, как долго собирался он заниматься преподавательской работой в тот момент, но три с половиной года спустя он принял монашеский постриг, и с этого времени речь будет идти уже о Тихоне.

Не прошло и месяца с момента пострига, а Тихон уже был рукоположен во иеромонаха. Произошло это 22 декабря 1891 года. В марте следующего 1892 года он был направлен в Варшавскую епархию, где назначен инспектором Холмской духовной академии; а уже в июле того же года стал ее ректором, параллельно состоя председателем Епархиального училищного совета, председателем православного братства и цензором изданий. Неплохой карьерный рост для молодого архимандрита. Видимо, Тихон действительно легко находил общий язык с самыми разными людьми. И, судя по всему, подвиги уединения подвижников прошлого его если и восхищали, то желания следовать им не вызывали. Вскоре церковная карьера Тихона сделала следующий скачок — 19 октября 1897 года (то есть еще до истечения шестого года с момента принятия монашества) 32-летний Тихон стал епископом Люблинским. Епископ любил и умел проповедовать — за одиннадцать месяцев пребывания в Люблине он прочел 120 проповедей.

В сентябре следующего 1898 года молодой епископ был направлен в Северную Америку, где возглавил Алеутскую и Аляскинскую епархию. Развив бурную и весьма продуктивную деятельность (один переход священника Американской епископальной церкви Ингрэма Ирвина в православие, причем с последующим рукоположением в сан, равный прежнему, чего стоит), епископ Тихон немалое внимание уделял и административным вопросам — при нем было приведено в соответствие с реальностью название епархии, центр которой уже более тридцати лет находился в Сан-Франциско — с 1900 года она стала именоваться Алеутской и Северо-Американской. Позже его стараниями епископская кафедра была перенесена в Нью-Йорк, созданы викариаты, упрощавшие управление на местах. Во время поездки в Россию в 1903 году Тихон был возведен в сан архиепископа. Тихон, оценивая значение епархии в Северной Америке, полагал возможным повышение ее статуса до экзархата Русской церкви с широкой автономией, с развитием этого процесса вплоть до автокефалии. Однако эти его идеи не нашли поддержки у Священного Синода.

В январе 1907 года его перевели в Россию, в Ярославль (из Америки он отбыл в марте). Период пребывания его во главе Ярославской епархии примечателен, среди прочего, что Тихон состоял почетным председателем ярославского отделения Союза русского народа (организации с весьма показательной идеологией). Во время празднования 300-летия дома Романовых в 1913 году лично встречал императорскую семью при входе в Успенский собор в Ярославле, а затем сопровождал их в Спасский монастырь, где в 1613 году пребывал первый царь из рода Романовых Михаил Федорович. В декабре того же года был переведен в Виленскую епархию (уехал в Вильно в январе 1914 года) — по многим свидетельствам, в результате серьезного конфликта с ярославским губернатором Д.Н. Татищевым.

Февральская революция застала архиепископа Тихона в Москве. Новый обер-прокурор Синода В.Н. Львов первым делом удалил из Синода петроградского митрополита Питирима и московского митрополита Макария, которые имели весьма тесные связи с Распутиным, а потом и вовсе оставил из прежнего состава одного лишь архиепископа Сергия (впоследствии — патриарха, но об этом позже). Львов поддержал созыв Поместного Собора, весьма необоснованно предполагая, что он поддержит реформы, и никак не ожидал, что патриархом будет избран Тихон, которого он изгнал из Синода.

Патриархом Тихона сделало то ли Божье провидение, то ли случайность жребия — в предварительном голосовании он набрал наименьшее число голосов среди кандидатов, допущенных, так сказать, «во второй тур».

Поместный Собор продолжал свою работу больше года, но так ее и не завершил — в сентябре 1918 года его деятельность была прекращена большевиками. Первая сессия приняла среди прочих нормативно-правовых документов «Определение о правовом положении Церкви в государстве», предусматривавшее первенствующее публично-правовое положение Православной Церкви перед другими церквями в Российском государстве; независимость Церкви от государства — при условии согласования церковного и светского законоуложений; обязательность православного исповедания для главы государства, министра исповеданий и министра народного просвещения. Вторая сессия (февраль — апрель 1918) поручила Тихону тайно назначить своих местоблюстителей, что и было сделано тогда же (а не в 1925 году). Также она приняла новый Приходский устав и среди прочих — определение против новых законов о гражданском браке (расторжение гражданского брака никак не касалось брака церковного).

Почти непрерывное преследование со стороны властей и спецслужб вынудило Тихона, успевшего прославиться «анафемой безумцам», под которыми все без исключения понимали большевиков, и проклятием убийцам царя, а также органам власти, это убийство одобрившим, пойти на попятную. Свою новую линию поведения патриарх оправдывал тем, что это позволит ему сделать больше для Церкви, чем мученическая смерть в безвестности.

Шестнадцатого июня 1923 года он подписал заявление, в котором раскаивался в «поступках против государственного строя». 27 июня «Известия» опубликовали текст заявления, а 1 июля — даже «Факсимиле заявления гр. Белавина (бывш. патриарха Тихона) в Верховный Суд РСФСР»:

«Обращаясь с настоящим заявлением в Верховный Суд РСФСР я считаю необходимым по долгу своей пастырской совести заявить следующее:

Будучи воспитан в монархическом обществе и находясь до самого ареста под влиянием антисоветских лиц, я действительно был настроен к Советской власти враждебно, причем враждебность из пассивного состояния временами переходила к активным действиям. Как то: обращение по поводу Брестского мира в 1918, анфематствование в том же году власти и, наконец, воззвание против декрета об изъятии церковных ценностей в 1922. Все мои антисоветские действия за немногими неточностями изложены в обвинительном Заключении Верховного Суда. Признавая правильность решения Суда о привлечении меня к ответственности по указанным в обвинительном заключении статьям уголовного кодекса за антисоветскую деятельность, я раскаиваюсь в этих проступках против государственного строя и прошу Верховный Суд изменить мне меру пресечения, то есть освободить меня из-под стражи.

При этом я заявляю Верховному Суду, что я отныне Советской власти не враг. Я окончательно и решительно отмежевываюсь как от зарубежной, так и внутренней монархическо-белогвардейской контрреволюции».

Четвертого июля 1923 года «Известия» публиковали материал «Обращение» патр. Тихона к «архипастырям, пастырям и пасомым православной церкви российской», датированный 28 июня того же года, в котором патриарх Тихон ставил под вопрос легитимность обновленческого Собора 1923 года и пояснял: «Из постановлений его можно одобрить и благословить введение нового стиля календарного и в практику церковную. Что касается моего отношения к Советской власти в настоящее время, то я уже определил его в своем заявлении на имя Верховного Суда, который я прошу изменить меру пресечения, то есть освободить из-под стражи. В том преступлении, в котором я признаю себя виновным, по существу виновно то общество, которое Меня, как Главу Православной Церкви, постоянно подбивало на активные выступления тем или иным путем против Советской власти. Отныне Я определенно заявляю всем тем, что их усердие будет совершенно напрасным и бесплодным, ибо Я решительно осуждаю всякое посягательство на Советскую власть, откуда бы оно ни исходило. Пусть все заграничные и внутренние монархисты и белогвардейцы поймут, что я Советской власти не враг. Я понял всю ту неправду и клевету, которой подвергается Советская власть со стороны ее соотечественных и иностранных врагов и которую они устно и письменно распространяют по всему свету. Не минули в этом обойти и меня; в газетах «Новое Время» от 5 мая за № 606 появилось сообщение, что будто бы ко мне при допросах чекистами была применена пытка электричеством. Я заявляю, что это сплошная ложь и очередная клевета на Советскую власть».

В архивах сохранилось немало иных документов схожего содержания, подписанных рукой патриарха Тихона в 1923–1925 годах (воспроизведенных в книгах «Акты патриарха Тихона» и «Архивы Кремля. Политбюро и Церковь», изданных уже в 1990-е годы):

«Передайте Советскому правительству и Президиуму ЦИК СССР глубокую благодарность — как от меня, так и от моей паствы...

Отныне Церковь отмежевалась от контрреволюции и стоит на стороне Советской власти...

Церковь возносит молитвы о стране Российской и о Советской власти...

Церковь признает и поддерживает Советскую власть, ибо нет власти не от Бога...

Молим вас со спокойной совестью, без боязни погрешить против святой веры, подчиниться советской власти не за страх, а за совесть, памятуя слова апостола: «всякая душа да будет покорна высшим властям, ибо нет власти не от Бога, — существующие же власти от Бога установлены...»

Среди прочего, Тихон осудил и Карловацкий собор, результатом которого стало оформление Русской православной церкви за рубежом, и якобы причастность зарубежной церкви к попыткам реставрации монархии. И много чего еще...

Я не собираюсь оспаривать мнение, что патриарх Тихон вынужден был подписывать подобные заявления и воззвания. Но ведь приведенные выше цитаты — это лишь малая часть. И что это было, как не сотрудничество с властью, всего несколькими годами преданной анафеме? Как высоко Тихон ценил собственное слово?

И последнее. Местоблюститель после кончины Тихона, Крутицкий митрополит Петр очень недолго исполнял свои обязанности — в декабре того же 1925 года он был арестован и последние годы своей жизни провел в тюрьмах и лагерях. Его замещал помощник — уже упоминавшийся на этих страницах митрополит Сергий (Старгородский), который после ложного сообщения о смерти Петра в сентябре 1936 года (впрочем, тот действительно был расстрелян в октябре 1937 года) в декабре того же года стал местоблюстителем, а в 1943 году добился от Сталина согласия на свое избрание патриархом. Впрочем, это уже другая история...

Послесловие

Древний философ Плутарх писал, что история есть учитель жизни.

Вторя ему, русский исследователь истории церкви В.О. Ключевский писал: «Не цветы виновны в том, что слепой их не видит. История учит даже тех, кто у нее не учится. Она проучивает их за невежество и пренебрежение... Ложь в истолковании прошлого приводит к провалам в настоящем и готовит катастрофу в будущем...»

Однако, зная о том, что не все то, во что мы верим, является абсолютной правдой, или же имеет отличия от нашего знания настолько существенные, что не имеет права быть объектом почитания, мы чаще всего продолжаем слепо верить — потому что так легче, проще, удобнее. Пока эта слепота не опрокинет нас, не позволив больше подняться и идти в прежнем направлении.

Нам не хочется задумываться о том, что вера, подкрепленная знанием, по-настоящему несокрушима.

Ведь результаты исследований Е.Е. Голубинского, того же В.О. Ключевского, других историков церкви не подорвали их веры, не разрушили их православного мировоззрения. Хотя для кого-то и сотой доли их архивных находок хватило бы еще в те времена для душевной катастрофы и неверия. Дело-то в том, что эти исследователи стремились не разрушить и запятнать светлый образ христианства, а наоборот, очистить его от случайной грязи, ряды его защитников — от случайных людей или и вовсе мифических персонажей. Эта книга как раз о том, что вера в Бога — это не та сфера, где количество с легкостью переходит в качество. Ведь были же в истории православия эпохи, когда канонизировались лишь считаные — и подлинные — Божьи угодники. Но были и времена, когда к лику святых причисляли чуть ли не всех скопом сказочных личностей, которым по каким-то причинам поклонялись в той или иной местности. Иначе говоря, истинность веры определяется не числом почитаемых святых, а подлинностью наших знаний о них.

Говоря о православных святых, я сознательно не использовал работы современных авторов или же зарубежных исследователей. Труды первых — это нередко еще не проверенные и часто весьма субъективные гипотезы, пусть даже и основанные на достоверных данных. Исследования иностранных историков зачастую еще более субъективны в силу и убеждений их авторов, и чрезмерного использования непроверенных источников, да и просто вымысла.

Опора же на работы названных авторов не случайна. Эти книги признаны Церковью, издавались на ее средства и в ее типографиях. Упрекнуть этих историков церкви в антихристианской, аморальной позиции можно лишь, не утруждая себя хоть каким-нибудь обоснованием подобных обвинений.

Долог и тернист путь к истине.

Но вера, подкрепленная знанием, несокрушима.

Содержание

Литературно-художественное издание

БИОГРАФИИ ВЕЛИКИХ. НЕОЖИДАННЫЙ РАКУРС

Збигнев Войцеховский

СВЯТЫЕ И ПОРОЧНЫЕ

Ответственный редактор *А. Дышев*
Художественный редактор *А. Марычев*
Технический редактор *О. Лёвкин*
Компьютерная верстка *Е. Мельникова*
Корректор *О. Супрун*

В оформлении обложки использованы фотографии:
sergo1972 / Shutterstock.com
Используется по лицензии от Shutterstock.com;
Sarah Holmlund / Hemera / Thinkstock / Fotobank.ru,
Sergey Lavrentev / iStockphoto / Thinkstock / Fotobank.ru

ООО «Издательство «Эксмо»
127299, Москва, ул. Клары Цеткин, д. 18/5. Тел. 411-68-86, 956-39-21.
Home page: **www.eksmo.ru** E-mail: **info@eksmo.ru**

Өндіруші: «ЭКСМО» АҚБ Баспасы, 127299, Мәскеу, Клара Цеткин көшесі, 18/5 үй.
Тел. 8 (495) 411-68-86, 8 (495) 956-39-21.
Home page: www.eksmo.ru . E-mail: info@eksmo.ru.
Қазақстан Республикасындағы Өкілдігі: «РДЦ-Алматы» ЖШС, Алматы қаласы,
Домбровский көшесі, 3«а», Б литері, 1 кеңсе. Тел.: 8(727) 2 51 59 89,90,91,92,
факс: 8 (727) 251 58 12 ішкі 107; E-mail: RDC-Almaty@eksmo.kz
Қазақстан Республикасының аумағында өнімдер бойынша шағымды Қазақстан
Республикасындағы Өкілдігі қабылдайды: «РДЦ-Алматы» ЖШС,
Алматы қаласы, Домбровский көшесі, 3«а», Б литері, 1 кеңсе.
Өнімдердің жарамдылық мерзімі шектелмеген.

Сведения о подтверждении соответствия издания
согласно законодательству РФ о техническом регулировании можно
получить по адресу: http://eksmo.ru/certification/

Подписано в печать 15.02.2013.
Формат 84×108 $^1/_{32}$. Гарнитура «Constantia».
Печать офсетная. Усл. печ. л. 18,48.
Тираж 2000 экз. Заказ № 1195.

Отпечатано с готовых файлов заказчика
в ОАО «Первая Образцовая типография»,
филиал «УЛЬЯНОВСКИЙ ДОМ ПЕЧАТИ»
432980, г. Ульяновск, ул. Гончарова, 14

ISBN 978-5-699-62610-6

9 785699 626106 >